–
**L'ART
EN
POCHE**
–

DÉCRYPTER
LES SYMBOLES
DANS L'ART

MATTHEW
WILSON

DÉCRYPTER LES SYMBOLES DANS L'ART

Flammarion

INTRODUCTION

Décrypter le sujet d'une œuvre d'art, voilà qui relève
de l'iconographie, cette discipline propre à l'histoire
de l'art. Entre autres pratiques, elle inclut celle que nous
commentons ici, et qui consiste à interpréter le langage
des emblèmes, motifs et symboles dont font usage
les artistes. Un symbole visuel, c'est un motif qui signifie
« autre chose », valeur ou concept, que ce qu'il paraît
d'abord. Ainsi, le chien est souvent associé à la vertu
de loyauté, comme la balance est l'emblème de la justice.

Pour autant, interpréter un symbole n'est pas toujours
évident. La gamme d'exemples présentés dans cet
ouvrage comprend des symboles dont la signification
s'est diversifiée avec le temps, et d'autres pour lesquels
elle est brouillée. Ce guide entend décoder certains
des sens perdus ou occultés derrière ces symboles,
retrouver leurs connotations premières, transmettre
ce qu'ils ont à dire sur les artistes, les cultures
et les idéologies qui sont à leur origine.

Tout au long de l'histoire mondiale, les symboles visuels ont donné lieu à des échanges notables qui se laissent retracer dans chaque culture et d'une culture à une autre. Le motif du dragon, par exemple, apparu en Chine, est répliqué dans la Perse médiévale ; la palme, symbole de la victoire sur la mort, figure sur des objets présents en des lieux et à des époques aussi disparates que l'Égypte antique, l'Empire romain ou l'Europe de la Renaissance, alors que sa teneur emblématique ne change pas. Ces motifs et bien d'autres ont transité au gré des réseaux commerciaux, de la propagation des cultes, des populations contraintes de se côtoyer au fil des guerres. L'étude des symboles a beaucoup à nous dire sur les interfaces – souvent insolites – entre les civilisations du passé.

On trouvera ici un échantillon des symboles les plus courants, glanés dans les cultures du monde afin d'illustrer leur impact et l'usage qu'en font les artistes dans le but de communiquer avec toujours plus de force, de nuance et de profondeur.

LE CIEL ET LA TERRE

-

**Une idée, au sens le plus élevé du terme,
ne peut être exprimée que par un symbole.**

-

Samuel Taylor Coleridge

1817

L'EAU

« En elle ils sont nés, avec elle ils vivent, par elle ils lavent leurs péchés, et avec elle ils meurent », écrit en 1581 le moine Diego Durán à propos de l'importance de l'eau. Dans cette description, « ils » fait référence aux Aztèques, peuple dont la mythologie comporte une déesse de l'eau, Chalchiuhtlicue. Celle-ci occupe une place centrale dans leur culte et dans leur quotidien, surtout en tant que protectrice des naissances et de la fertilité.

Ces associations ne sont pas le fait des seuls Aztèques : l'eau possède des connotations similaires dans plusieurs cultures du monde. Les mythes de création hindou, babylonien et égyptien sont centrés sur l'eau comme milieu primordial, apportant la vie. Islam et christianisme la vouent à une fonction de purification rituelle. En Grèce antique, c'est l'un des quatre éléments fondamentaux, générant toutes les autres matières ; ils sont cinq dans la tradition chinoise.

L'eau apporte une contribution essentielle, bien qu'elle ne soit pas évidente, à notre perception de la Pierre du Soleil, un objet sacré de 24 tonnes hébergé naguère dans le Templo Mayor de la capitale aztèque Tenochtitlán (sur son emplacement fut édifiée la ville de Mexico). Comme tant d'autres artefacts de la culture aztèque, elle a été ensevelie – sans subir d'autres lésions, heureusement – par les conquistadors espagnols débarqués en Amérique centrale au début du XVIᵉ siècle et dont l'arrivée a sonné le glas des Aztèques. Avec ses pictogrammes

Artiste inconnu
Pierre du Soleil, règne de Moctezuma II (aztèque), 1502-1520
Basalte, 358 × 98 cm
Mexico, Musée national d'anthropologie

Cette portion centrale de la pierre fait voir le visage du dieu Tonatiuh. Il est entouré de quatre rectangles où sont figurées les quatre époques tenues pour antérieures à celle de l'œuvre. Dans chacune, l'humanité aurait été oblitérée par tel ou tel cataclysme, le dernier (« Quatre-Eau ») est un déluge universel transformant en poissons tous les humains sans exception.

ou portraits de dieux et de symboles, la *Pierre du Soleil* est censée décrire les cycles de destruction ponctuant l'histoire du monde, le calendrier annuel, l'influence des dieux sur le destin des hommes, et l'importance du sacrifice humain.

La tête de Chalchiuhtlicue apparaît sous une forme stylisée dans le rectangle placé en bas à droite du visage central : l'eau est personnifiée plus qu'elle n'est dépeinte. Si elle figure sur la *Pierre du Soleil*, c'est qu'elle fait partie d'un cycle symbolique de création/destruction évoquant le courroux divin et la puissance élémentaire de l'eau, qui oblitère comme elle régénère.

L'eau, à l'image d'autres symboles comme la **lune**, le **soleil** et le **feu**, est un phénomène élémentaire chargé d'une puissance de premier ordre. Elle est dès lors porteuse d'associations universelles, accessibles à des cultures par ailleurs très différentes les unes des autres. Par rapport à des symboles de moindre envergure glanés

dans la flore et la faune, tels le **pavot**, la **grue** ou le **coquillage**, dont la signification est généralement nuancée par les coutumes locales, l'**eau** a une portée emblématique beaucoup plus vaste.

Bill Viola, vidéaste contemporain, assortit l'eau à d'autres symboles primaires comme le **feu** et le **sang** pour lui conférer, au sein de son œuvre, un impact fort et immédiat. L'eau revêt une signification toute personnelle pour l'artiste. À l'âge de six ans, Viola a eu un accident au cours d'une partie de pêche dans le nord de l'État de New York : il est tombé dans un lac. Par la suite, il s'est remémoré cette forme de submersion comme une expérience formatrice : « belle », voire « paradisiaque ». Sa création vidéo *Tristan's Ascension* (10'16"), revient sur ces émotions en filmant une cascade à l'envers, dans laquelle un corps se détache d'un lit pour s'élancer au ralenti vers la surface, emporté par une colonne d'eau. D'abord projetée à Los Angeles en 2004, elle s'inscrivait dans une commande associant l'œuvre de Viola à une production de *Tristan und Isolde*, cet opéra de quatre heures composé par Richard Wagner. Au dernier acte, les deux protagonistes connaissent une mort tragique ; *Tristan's Ascension* et son pendant, *Fire Woman*, symbolisent la mort des amants, dont l'être se dématérialise. Viola s'inspire de l'iconographie traditionnelle occidentale pour traiter l'eau ; chez lui, l'accès de Tristan à la transcendance prend la forme d'une noyade, d'un baptême et d'une renaissance.

Bill Viola
Tristan's Ascension (The Sound of a Mountain Under a Waterfall), 2005
Installation vidéo-son, haute définition couleur, quatre canaux audio avec caisson de graves (4.1), dimensions de l'image projetée : 5,8 × 3,25 m, pièce aux dimensions variables, durée 10'16"
Interprète : John Hay

L'art vidéo de Viola apparie souvent des images au ralenti à des emblèmes archétypaux comme l'eau, les médias modernes aux symboles ancestraux. Le sujet comporte aussi un aspect traditionnel : les scènes d'apothéose sont courantes dans l'imagerie chrétienne, où la Vierge et les saints montent au Ciel après leur mort (voir p. 25).

ŒUVRES CLÉS

Andrea del Verrocchio et Léonard de Vinci, *Le Baptême du Christ*, 1470-1475, Florence, galerie des Offices

Katsushika Hokusai, *Sous la vague au large de Kanagawa*, v. 1830-1832, New York, The Metropolitan Museum of Art

J.M.W. Turner, *Tempête de neige en mer*, 1842, Londres, Tate Gallery

Claude Monet, *Grosse mer à Étretat*, 1868-1869, Paris, musée d'Orsay

Michael Craig-Martin, *An Oak Tree*, 1973, Londres, Tate Gallery

LA MONTAGNE

Avant que le vol motorisé se répande au XXe siècle, l'homme avait un seul moyen de s'approcher des cieux : gravir le sommet de la plus haute montagne. Rien de surprenant, dès lors, si l'histoire humaine l'a toujours associée aux dieux, qu'ils y demeurent ou qu'ils en fassent un lieu de rencontre avec les mortels. Navajos, anciens Grecs, Sumériens, Égyptiens, peuples mésoaméricains précolombiens, tous font le lien entre montagne et sainteté. Pour les disciples du taoïsme, la concentration mentale s'atteint mieux qu'ailleurs dans les paisibles régions montagneuses. En Inde, le mont Kailash serait la demeure du dieu hindou Shiva ; le mont Meru, tenu par les bouddhistes pour le centre de l'univers, inspire la forme des sanctuaires appelés stupas. En Chine, l'art du paysage consiste d'abord à sculpter des montagnes célestes afin d'élever l'esprit du possesseur de l'œuvre vers une dimension spirituelle transcendante.

Au Japon, le mont Fuji a une importance colossale au point de vue religieux. En 1830, à soixante-dix ans, l'artiste Katsushika Hokusai entreprend de lui dédier une anthologie en dessinant

Katsushika Hokusai
Vent du sud, *ciel clair* (*Le Fuji rouge*), extrait de la série « Trente-six vues du mont Fuji », v. 1830-1832
Gravure sur bois, 24,4 × 35,6 cm
New York, The Metropolitan Museum of Art

Ici, ciel et terre convergent sur le plan visuel : les nuages altocumulus font écho aux stries des pins au-dessous d'eux, comme les vestiges de neige au sommet évoquent des éclairs ramifiés chus d'en haut.

trente-six vues de ce mont. Dans cette série ingénieuse
et hautement originale, l'artiste replace souvent la montagne
dans un décor emprunté au quotidien : elle opère comme un pivot
autour duquel tournent les vies ordinaires des citoyens japonais.
Une estampe pourtant, *Vent du sud, ciel clair*, isole le mont Fuji
tout en soulignant son caractère monumental ; les détails sont
réduits à un strict minimum, et la scène est dominée par deux
couleurs primaires, le rouge et le bleu.

Le Fuji est un volcan dont la dernière éruption remonte à un peu
plus d'un siècle, avant que Hokusai conçoive ses *Trente-six vues*.
Au sein du paysage, c'est une présence sourdement hostile, mais
aussi, paradoxalement, une source de vie. L'**eau** qui dévale ses flancs
coniques irrigue les terres agricoles qui l'entourent. De nombreux
cultes au Japon vénèrent le mont Fuji comme un site à partir duquel
on accède au monde des esprits ou à l'immortalité. Les pèlerins
des sectes confucéennes, shinto et bouddhiques accourent pour
y construire des autels ; les légendes locales lui attribuent toutes
sortes de propriétés mystiques.

Hokusai lui-même est un adepte du bouddhisme de Nichiren,
qui exhorte à découvrir une dimension spirituelle dans l'acte
le plus trivial. Cela explique peut-être le soin qu'il a mis à relier
cette montagne céleste aux activités du monde réel, un peu comme
les artistes européens de la première Renaissance. Par exemple
Robert Campin, dans son *Triptyque de l'Annonciation* (ou *Triptyque
de Mérode*, p. 45), parsème ses décors prosaïques d'objets,
de plantes et d'animaux afin de sensibiliser les âmes pieuses
au divin qui les environne. Les estampes *ukiyo-e* que fait Hokusai
du mont Fuji, reconnaissable au premier coup d'œil, sont destinées
au grand public : elles se vendent au prix d'un bol de soupe
aux nouilles.

ŒUVRES CLÉS

Le Temple de la Mahabodhi, VIIe siècle av. J.-C., Bihar (Inde), Bodh Gaya

Omphalos, période hellénistique (323-30 avant J.-C.), Delphes (Grèce),
musée archéologique de Delphes

Claude Lorrain, *Le Sermon sur la montagne*, 1656, New York, Frick Collection

Anish Kapoor, *As if to Celebrate, I Discovered a Mountain Blooming with Red Flowers*,
1981, Londres, Tate Gallery

LES NUAGES

De nos jours, un nuage gorgé de pluie laisse augurer un pique-nique gâché ou des conditions déplorables pour un trajet sur l'autoroute. Or, selon les lieux et les époques, un tel nuage a pu avoir des connotations positives. Les lourdes nuées du tableau peint au XVIIᵉ siècle par Pierre Paul Rubens, *Henri IV reçoit le portrait de la reine et se laisse désarmer par l'amour* (p. 73), sont de bon augure, car elles sont emplies d'**eau** fécondante, présage de croissance et de prospérité.

Sur les images pieuses, les nuages côtoient souvent d'autres éléments sacrés : **anges** et **halos**, trône ou char d'une divinité, en Orient comme en Occident. Pour l'exemple, une sculpture japonaise du XIVᵉ siècle, *Cerf portant un miroir sacré contenant cinq Honji-Butsu de Kasuga* (p. 86). Ailleurs, les nuages aident à dérober un dieu aux regards : c'est ainsi que Jupiter séduit Io dans la mythologie classique, et que la Bible décrit Dieu (Psaume 97, 2). Au Japon, Amida (le Bouddha céleste) serait descendu sur un nuage pour emporter aux cieux l'âme d'un mourant (bien que personne ne figure sur la sculpture du XIIᵉ siècle, reproduite p. 122). Le Japon emprunte aussi à la tradition chinoise le motif du **dragon** lové entre les nuages pour symboliser l'arrivée de la pluie printanière et l'avènement de la prospérité.

Dans *Le Printemps* de Sandro Botticelli, les nuages jouent un rôle subtil mais crucial dans la composition générale. À l'extrême gauche, Mercure, dieu messager dans la mythologie romaine, taquine de sa baguette (ou caducée) un petit nuage superposé aux orangers. Comme le tableau tout entier passe pour une représentation allégorique du renouveau printanier, Mercure chasserait les nuages en prévision de l'été. Mais on a aussi vu en lui une figure en quête de savoir : s'il transperce les cieux, c'est pour permettre à la lumière de la sagesse d'illuminer le verger situé au-dessous. Quelle que soit la signification voulue par Botticelli, sa composition originale, mêlant figures mythologiques et symboles occultes, entend à coup sûr flatter l'intellect de son mécène, sans doute un membre de la puissante lignée Médicis à Florence.

Pages suivantes :
Sandro Botticelli
Le Printemps,
1477-1482
Tempera sur panneau,
202 × 314 cm
Florence,
galerie des Offices

Dans cette œuvre, Vénus occupe le milieu de la composition. Sur la droite, la nymphe Chloris se métamorphose en Flore, déesse du printemps, faisant pendant aux Trois Grâces sur la gauche. Mercure, étrangement préoccupé par les nuages qui le surplombent, ne prête pas attention aux faits merveilleux qui l'entourent.

Artiste inconnu
Armure (Gusoku, Japon),
fin XVIIIe-XIXe siècle
Fer, laque, or, argent,
alliage de cuivre,
cuir et soie,
138,4 × 57,2 × 52,1 cm
New York,
The Metropolitan
Museum of Art

**Ce motif du dragon-
parmi-les-nuages
ornant les armures
japonaises remonte
à la fin de la période
Edo. Le dragon
exprime crainte
et majesté, mais
porte aussi chance
au propriétaire
de l'armure.**

ŒUVRES CLÉS

Jarre à décor de dragon (Chine), début du XVe siècle,
New York, The Metropolitan Museum of Art

Le Corrège, *Io et Jupiter*, 1530, Vienne, Kunsthistorisches Museum

Nicholas Hilliard, *Homme étreignant la main d'un nuage*, 1588,
Londres, Victoria and Albert Museum,

John Constable, *Étude de nuages*, 1822, Oxford, Ashmolean Museum

Eugène Boudin, *Étude de nuages sur un ciel bleu*, 1888-1895,
Le Havre, Musée d'art moderne André Malraux

L'ARC-EN-CIEL

Avec d'autres symboles venus du ciel comme les **aigles**,
les **faucons**, **colombes**, le **soleil** et la **lune**, les arcs-en-ciel
représentent souvent un lien entre dieux et mortels. Les mythes
navajos, amérindiens et nordiques comportent tous des arcs-en-
ciel évoquant un message divin ; dans les scènes de Jugement
dernier, Jésus est parfois montré assis sur un arc-en-ciel (au lieu
du nuage habituel). Dans l'épisode biblique du Déluge, Dieu
place un arc-en-ciel dans le ciel pour symboliser son alliance

avec l'homme, après que Noé a touché la terre ferme. Cet épisode en rappelle un autre, antérieur mais semblable, dans le mythe mésopotamien dit l'*Épopée de Gilgamesh*. Un arc-en-ciel est aussi l'attribut de la déesse Iris, messagère céleste dans la mythologie gréco-romaine, pendant féminin de Hermès/Mercure qui figure dans *Le Printemps* de Botticelli (p. 18-19).

Angelica Kauffmann
La Couleur, 1778-1780
Huile sur toile,
128 × 148,5 × 2,5 cm
Londres,
Royal Academy

Un caméléon assis sous cette allégorie semble faire pièce à la création des couleurs.

Le tableau d'Angelica Kauffmann comporte une figure de femme vêtue et placée de la même façon qu'Iris, mais censée personnifier la Couleur. C'est l'un des quatre attributs de l'art peints par cette artiste pour orner la Chambre du Conseil de la Royal Academy à Londres, dans le quartier du Strand ; *La Couleur* y jouxte *Le Dessin*, *L'Invention* et *La Composition*. Son allégorie féminine trempe son pinceau dans un arc-en-ciel pour en transférer les nuances sur sa palette. Avec cette figure, assise devant un ciel bleu et vêtue de jaune et de rouge, l'artiste intègre volontairement les trois couleurs primaires à la scène. Les membres fondateurs de la Royal Academy ne comptent que deux femmes, dont Angelica Kauffmann, ce qui confère une résonance supplémentaire à son choix d'une allégorie féminine, active et héroïque, pour les quatre composantes de son art.

L'arc-en-ciel peut revêtir un sens supplémentaire selon le contexte. Comme il est rare, il est souvent associé à la chance et à la prospérité, dans la culture du Dahomey, par exemple, ou en Chine, où il augure un événement favorable comme le mariage. L'arc-en-ciel fait voir l'union des couleurs : aussi figure-t-il parmi les emblèmes célébrant l'harmonie, tel le drapeau de la paix ou celui du mouvement LGBTQ.

ŒUVRES CLÉS

Adriaen Pietersz. van de Venne, *La Pêche des âmes*, 1614, Amsterdam, Rijksmuseum

Pierre Paul Rubens, *Paysage à l'arc-en-ciel*, v. 1636, Londres, Wallace Collection

Joseph Wright of Derby, *Paysage avec un arc-en-ciel*, 1794, Derby (Royaume-Uni), Derby Museum and Art Gallery

Wassily Kandinsky, *Cosaques*, 1910-1911, Liverpool, Tate Gallery

Norman Adams, *Rainbow Painting (I)*, 1966, Londres, Tate Gallery

LA FOUDRE

Contrairement à l'aura généralement propice et sereine des **nuages** et des **arcs-en-ciel**, un trope répandu dans les religions du monde fait des éclairs et de la **foudre** les instruments d'une révélation ou d'un châtiment divins. C'est l'attribut de Zeus/Jupiter et du dieu hindou Indra ; dans le bouddhisme et l'hindouisme, une foudre stylisée, dite le *vajra*, représente le pouvoir spirituel de créer et de détruire.

Si la foudre n'apparaît pas sur ce *Vase à décor mythologique* maya, elle est figurée par la hache que tient dans sa main droite Chaac, dieu de la pluie, au centre de cette coupe au décor extravagant, façonnée dans la région appelée de nos jours le Guatemala. La hache-de-foudre est un attribut crucial dans cette scène évoquant le double pouvoir de l'**eau**, générateur et destructeur. C'est avec elle que Chaac frappe le ciel pour faire ruisseler l'eau sur la terre.

Il est montré au beau milieu de ce qui ressemble à une danse, un **pied** levé au-dessus du sol, une pierre animée dans sa main gauche. S'il n'y a pas de consensus sur le sens ultime de ce décor, Chaac ramène peut-être sa hache en arrière pour mieux l'abattre, au terme d'un grand arc de cercle, sur le corps du bébé jaguar (autre divinité maya) qui gît devant lui. Ce bébé jaguar repose

Artiste inconnu
Vase à décor mythologique (maya),
VIIᵉ-VIIIᵉ siècle
Céramique,
14 × 11,4 cm
New York,
The Metropolitan
Museum of Art

**Les pieds de Chaac,
dieu de la pluie maya,
sont éclaboussés
du vomi craché
par la montagne
pour signifier
la putréfaction
causée par un
engorgement d'eau.**

sur une grande bête difforme, sans doute l'esprit d'une montagne. Derrière eux, un dieu de la mort danse en réaction à l'acte de Chaac ; il tend les **mains** en avant, peut-être pour recueillir l'esprit du bébé jaguar après son exécution. Autre interprétation possible : la danse accomplie par Chaac et le dieu de la mort ressusciterait par magie le bébé jaguar, l'arrachant au règne de la mort pour le ramener sur la terre des vivants. Quoi qu'il en soit, la scène offre un message identique, fondamental, sur le pouvoir de la foudre : quand Chaac projette sa hache dans le ciel et déchaîne la pluie, il en résulte fertilité et renouveau.

L'œuvre de Walter De Maria, *The Lightning Field*, illustre le Land Art du XXe siècle. Elle occupe un vaste terrain sur les hauts plateaux du Nouveau-Mexique. Ses 400 poteaux en acier inoxydable, plantés selon une grille rectangulaire de 1 mille (1,609 km) de long sur 1 kilomètre de large, sont conçus pour attirer la foudre. La foudre doit tomber à moins de 61 mètres de l'installation pour entrer en contact avec elle, elle ne frappe qu'environ soixante fois par an, habituellement à la fin de l'été ou au début de l'automne.

ŒUVRES CLÉS

Gokoshima (Vajra à cinq pointes), XIIe-XIVe siècle, New York, Brooklyn Museum

Giorgione, *La Tempête*, v. 1507, Venise, Galleria dell'Accademia

Francisque Millet, *Paysage de montagne avec un éclair*, v. 1675, Londres, National Gallery

William Blake, *Le Grand Dragon rouge et la Femme vêtue de Soleil*, v. 1805, Washington, National Gallery

Walter De Maria
The Lightning Field, 1977
400 poteaux
en acier inoxydable,
1 mille × 1 km
Installation à long
terme, ouest du
Nouveau-Mexique

**Cette sculpture réveille
en nous un sentiment
primordial d'humilité
et d'émerveillement
en face de la puissance
brute de la nature.
Elle nous replace
à notre juste échelle
dans l'ordre du cosmos.**

LA LUNE

La **foudre** et le **soleil** sont deux symboles généralement associés à la puissance des dieux masculins. Par contraste, dans les religions gréco-romaine, chinoise, celte et égyptienne, la lune se rattache aux divinités féminines. Il en va de même avec le christianisme. Dans le chapitre 12 de l'Apocalypse, une femme apparaît « avec le **soleil** pour manteau et la lune sous ses pieds, et sur sa tête une **couronne** de douze étoiles ». Cette description sera reprise par les artistes figurant la Vierge Marie dans des scènes centrées sur l'Immaculée Conception ; dès lors, la lune intègre l'iconographie de la Vierge Marie. Le croissant qui symbolise sa virginité est adopté par la ville de Constantinople après qu'elle est tombée aux mains des chrétiens, puis les troupes arabes qui occupent la ville au xvᵉ siècle se l'approprient. Par la suite, il devient un emblème de l'Empire ottoman.

Dans un grand nombre de mythologies, la lune évoque la folie et l'absence de raison, et son pouvoir s'exerce sur le rythme des marées. En Chine, c'est une force « yin » féminine, associée aux lièvres. Sur les tenues impériales, la lune est un symbole de bon augure : sur la *Robe-dragon* de l'empereur Mang Pao (p. 28) illustrée page 28, elle est dépeinte au niveau de l'épaule droite, avec un lièvre au centre.

Le somptueux tableau *Marie, reine des Cieux* a été peint par un artiste néerlandais pour un couvent proche de Burgos, en Espagne. On y voit Marie monter aux Cieux où le Christ, Dieu le Père et l'Esprit saint (symbolisé par une **colombe**) l'attendent pour la couronner reine du paradis. Cette scène est censée attirer l'esprit du spectateur sur les gloires de la vie future : étoffes somptuaires et chorale céleste. Elle met aussi l'accent sur une panoplie de symboles identifiables, au premier chef le croissant de lune chatoyant, emblème de Marie. Situé à la base de la composition, il fait office de véhicule céleste.

Maître de la Légende de sainte Lucie
Marie, reine des Cieux, 1485-1500
Huile sur panneau, 199,2 × 161,8 cm
Washington, National Gallery

Le croissant de lune jaune sur lequel se tient la Vierge est un symbole de chasteté dans l'iconographie chrétienne.

Max Ernst
*Les Hommes n'en
sauront rien*, 1923
Huile sur toile,
80,3 × 63,8 cm
Londres,
Tate Gallery

**Au dos de la toile,
un poème énigmatique
de Max Ernst relie
ce tableau à l'un
des cas traités par le
psychanalyste Sigmund
Freud, celui de Daniel
Paul Schreber qui
fantasmait d'être
transformé en femme
par Dieu. Ici,
la proximité entre
soleil et lune symbolise
l'union des principes
mâle et femelle.**

Un croissant de lune inversé figure au sommet d'une composition surréaliste de Max Ernst, *Les Hommes n'en sauront rien*, peinte à Paris en 1923. Cette lune et d'autres éléments picturaux relèvent d'un système iconographique plus occulte, sans doute fondé sur la psychanalyse et l'alchimie au lieu du symbolisme chrétien. Tout en haut de l'image, un vaste cercle d'aspect solaire effleure la lune, sous laquelle un couple se livre à la fornication, montré sous forme de jambes désincarnées. Au-dessous, une série d'autres cercles évoque un système d'orbites planétaires, tandis que la lumière du soleil projette des ombres sur le désert en contrebas.

Pour les historiens de l'art, ce tissu de symboles ferait référence à un cas traité par Freud au début du XXᵉ siècle, celui de Daniel Paul Schreber, ancien magistrat en proie à des hallucinations : il avait le fantasme d'être transformé en une femme qui une fois fécondée par Dieu, enfanterait une nouvelle race humaine. Freud relève la fascination de son patient pour le soleil comme sa crainte du démembrement. Il diagnostique une phobie de la castration et une schizophrénie paranoïde. Tout cela serait symbolisé par la conjonction de l'homme-soleil et de la femme-lune, et par les objets phalliques parsemés sur le sol du désert. Les symboles alchimiques incluent le couple de fornicateurs, signifiant la jonction des opposés, et le croissant de lune inversé, symbole d'éclipse. Le savoir ésotérique et l'analyse freudienne sont une source de fascination pour Ernst (il a brièvement étudié la psychologie) comme pour André Breton, son confrère surréaliste, qui a suivi une formation de psychanalyste dans les années 1920.

ŒUVRES CLÉS

Francisco de Goya, *Le Sabbat des sorcières*, 1797-1798, Madrid, musée Lázaro Galdiano

Tsukioka Yoshitoshi, *Chang E s'enfuit sur la lune*, extrait des *Cent Aspects de la lune*, 1885, Londres, British Museum

Evelyn De Morgan, *Hélène de Troie*, 1898, Wolverhampton (Royaume-Uni), Wightwick Manor

Le Douanier Rousseau, *Le Rêve*, 1910, New York, MoMA

LE SOLEIL

Artiste inconnu
*Robe-dragon de
l'empereur (Mang Pao)*,
v. 1840
Tapisserie en « soie
gravée » (*kesi*), longueur
du dos central : 154,9 cm
Philadelphie, Philadelphia
Museum of Art

Sur l'épaule gauche,
l'emblème du soleil
rouge a été placé
au plus près de la tête
de l'empereur afin
de relier son esprit
avec le ciel et par
conséquent avec les
mécanismes des cieux.

Détail
Robe-dragon de l'empereur (Mang Pao), v. 1840

Le soleil est figuré par une sphère rouge contenant un oiseau à trois pattes.

Dans les cultures du monde, le soleil symbolise fréquemment la plus puissante des vertus : c'est un attribut de la Vérité telle que l'allégorise l'art de la Renaissance. Les divinités solaires peuplent les mythes des civilisations babylonienne, égyptienne, celte, grecque, indienne, cherokee et maya.

Un motif de soleil figure sur l'épaule gauche de la *Robe-dragon* de l'empereur de Chine, symbole d'une autorité irrécusable, cette fois chez un chef temporel. En Chine, le soleil représente la virilité et une force « yang » active, par opposition à la **lune** « yin », féminine et passive, emblème de l'impératrice. L'ensemble de la robe fait voir les nobles vertus de l'empereur au moyen des « douze ornements » (le soleil, la lune, les étoiles, les **dragons**, le symbole « fu » qui signifie « bonne fortune », la hache, les plantes aquatiques, les gobelets, le faisan, le **feu**, la **montagne** et le riz), dont chacun désigne une vertu particulière selon les croyances confucéennes. Le devant du vêtement comporte les étoiles (sous le col), les dragons, le symbole « fu » et la hache (juste en dessous de la poitrine, à gauche et à droite), les plantes aquatiques et un gobelet (au bas de la section jaune, à gauche et à droite). Le dos du vêtement présente les autres symboles. Dans la cour impériale, seul l'empereur est autorisé à les porter intégralement sur sa robe ; même la couleur jaune vif lui est réservée exclusivement.

La répartition des emblèmes sur la robe est tout aussi significative. Les éléments célestes – soleil, lune et étoiles – sont au plus près de la tête, au-dessus des symboles mineurs. Quand l'empereur revêt cette robe, il incarne littéralement le cosmos, et sa tête se situe au point le plus proche du ciel. Les courtisans de moindre rang se distinguent par des habits aux emblèmes plus modestes.

Voilà qui illustre la façon dont les uniformes, souvent négligés, participent au bon fonctionnement du pouvoir. On voit aussi comment le symbolisme – couleurs, matières et formes – permet aux membres des différentes castes de jauger leur rang respectif dans la hiérarchie.

L'emblème du soleil, propre à l'empereur de Chine, passe au Japon, où sa portée ne s'est pas démentie : un soleil levant figure toujours sur le drapeau national. Le même symbolisme perdure au XXIe siècle avec une œuvre d'Olafur Eliasson intitulée *The Weather Project*, installation colossale pour la Tate Modern de Londres. En plaçant cette réplique d'un soleil couchant dans le hall des Turbines de l'ancienne centrale électrique, la Bankside Power Station, l'artiste élit pour thème l'énergie solaire et sa possible exploitation.

Olafur Eliasson
The Weather Project
[Le Projet météo], 2003
Lampes à monofréquence, transparent de projection, brumisateurs, film miroir, aluminium et échafaudages, 26,7 × 22,3 × 155,4 m
Installation temporaire *in situ* dans le hall des Turbines de la Tate Modern à Londres

Il existe aussi – pourquoi ne pas le dire ? – un soleil pour l'ère anthropocène : confiné, rapetissé, détrôné par rapport à son éminence d'antan.

ŒUVRES CLÉS

Tablette du dieu-Soleil, temple de Shamash, Sippar, Babylone, 860-850 av. J.-C., Londres, British Museum

Michel-Ange, *La Création du soleil, de la lune et des plantes*, 1511, Vatican, chapelle Sixtine

Claude Monet, *Impression, Soleil levant*, 1872, Paris, musée Marmottan Monet

Nancy Holt, *Sun Tunnels*, 1973-1976, Utah (États-Unis), désert du Grand Bassin

LE FEU

Parmi celles que l'on rencontre dans ce chapitre, le feu est l'unique substance susceptible d'être créée et contrôlée par l'homme. Pour autant, de nombreuses cultures globales voient en lui un élément sacré, purificateur, associé au sacrifice et à l'illumination religieuse. Le symbolisme du feu est d'une importance cruciale : pour exemple, cette statue conservée à la Smithsonian Institution et titrée *Shiva Nataraja* [Shiva le Seigneur de la Danse] qui établit l'autorité cosmique de cette divinité, l'une des trois principales dans le panthéon hindou.

Shiva tient l'*agni*, une flamme à trois pointes, dans sa main gauche la plus éloignée du corps : c'est le feu avec lequel il détruira l'univers. Mais dans sa main droite équivalente, il tient un *damaru*, tambour dont le tempo ramènera le cosmos à la vie. La figure dans son entier s'insère dans un cercle (rappelant une auréole ou un **halo**) d'où sortent des flammes symbolisant un feu apocalyptique, destructeur du cosmos. C'est à travers ces signes visuels que nous pouvons concevoir le double rôle de Shiva, destructeur-créateur, et le temps comme cycle infini de naissances et de morts.

Le démon sous ses **pieds** représente l'ignorance, que Shiva foule au cours de sa « Danse de l'Extase » (*ananda tandava*). C'est vers le Ve siècle de notre ère que s'unifie l'iconographie de Shiva Nataraja, magnifiquement illustrée ici ; elle s'affine sous le règne de la dynastie Chola – cette lignée exerce le pouvoir dans le sud de l'Inde, le Sri Lanka, les Maldives et d'autres régions d'Asie du Sud-Est. La promotion de cette image dynamique et gracieuse (où Shiva accomplit un pas de danse énergique, mais tout en équilibre, tandis que ses tresses ondulées se déploient vers l'extérieur) s'est sans doute faite avec le soutien des Chola.

Artiste inconnu
Shiva Nataraja (Inde),
v. 990
Bronze,
70,8 × 53,3 × 24,6 cm
Washington, musées
de la Smithsonian
Institution

Shiva est l'une des trois grandes divinités hindoues avec Vishnou et Brahma. Il est montré jouant plusieurs rôles distincts : ici, en tant que Nataraja (Seigneur de la Danse), il incarne l'énergie cyclique de l'univers, qu'il détruit par le feu avant de régénérer.

Elle nourrit le triomphalisme de leur dynastie sur les peuples conquis ; peut-être même reflète-t-elle des rituels de danse spécifiques aux guerriers Chola.

L'idée selon laquelle le feu détruit, purifie et régénère se retrouve dans une œuvre créée un millénaire plus tard environ par l'Allemand Anselm Kiefer : *Mann im Wald* (*L'Homme dans la forêt*). Cette œuvre, comme beaucoup de cet artiste, aborde l'identité de l'Allemagne et la façon dont les Allemands ont géré l'héritage de la Seconde Guerre mondiale.

Mann im Wald représente une figure chevelue et moustachue, qui n'est pas sans rappeler l'artiste, dans une forêt de pins. L'homme tient une branche enflammée ; il est cerné d'une aura blanche qui ondule, un peu comme Shiva Nataraja. Si Kiefer ne nomme pas la localisation de la forêt dans son titre, d'autres de ses peintures, d'aspect similaire, font référence à la forêt de Teutoburg : c'est peut-être le décor évoqué dans cette image. Il s'agit d'un lieu cardinal dans l'histoire et la conscience nationale de l'Allemagne, car les tribus germaniques y infligèrent une défaite à l'envahisseur romain en l'an 9. L'historien Tacite indique que les captifs romains furent brûlés en holocauste par leurs ennemis. Toutefois, le sens général du tableau et de ses symboles n'est pas sans ambiguïté. Il est possible que Kiefer se mette en scène comme celui qui purifie l'histoire toxique de l'Allemagne : le feu serait alors le symbole, personnalisé, d'une identité nationale revitalisée.

Anselm Kiefer
Mann im Wald [L'Homme dans la forêt], 1971
Acrylique sur toile d'ortie de coton,
174 × 189 cm
San Francisco,
collection particulière

Il est possible que cette œuvre figure un prophète moderne. La flamme signifierait alors l'illumination, tel le Buisson ardent dans les récits hébreux ou le feu de la Pentecôte décrit dans la Bible.

ŒUVRES CLÉS

Huehueteotl, dieu du feu (mixtèque), pyramide du Soleil, Teotihuacán, 600-900 apr. J.-C., Mexico, Musée national d'anthropologie

Giotto et son atelier, *La Pentecôte*, v. 1310-1318, Londres, National Gallery

Pierre Paul Rubens, *Prométhée enchaîné*, 1611-1612, Philadelphie, Philadelphia Museum of Art

K Foundation (Jimmy Cauty et Bill Drummond), *K Foundation Burn a Million Quid*, 1994, Écosse, île de Jura

LES PLANTES

-

**Plus les peintres sont grands,
plus ils méditent, se plaisent au symbolisme,
et moins ils craignent de l'employer.**

-

John Ruskin

1856

L'ŒILLET

S'ils peuvent passer inaperçus au premier regard, les deux œillets roses entrecroisés sur un carré blanc, dans la zone inférieure gauche du portrait des *Enfants Graham*, constituent un indice de sens majeur. Comme beaucoup d'autres plantes dans cet ouvrage, tels le **pavot**, la **palme** et le **laurier**, l'œillet est loin d'être rare. Il s'est vu assigner au cours du temps diverses significations, mises à profit par les artistes pour enrichir et complexifier leurs œuvres.

Dans l'art européen comme dans l'art asiatique, l'œillet représente les fiançailles ; en Chine, il est généralement associé au mariage, souvent de pair avec un **lis** et un papillon. C'est aussi un emblème de la Vierge Marie, car la légende veut qu'il ait poussé sur le sol du Golgotha, à l'endroit où la Vierge a versé des larmes après la Crucifixion. Les œillets roses symbolisent ainsi un amour maternel ou compatissant.

Le portrait des *Enfants Graham* réalisé par Hogarth englobe quatre stades de l'enfance dans une atmosphère informelle, celle d'un intérieur prospère dans le Londres du XVIIIe siècle. Il figure les enfants de Daniel Graham, apothicaire du roi George II, que l'artiste dépeint en célébrant d'une part leur jeunesse insouciante, et en suggérant d'autre part leur destin d'adultes. Thomas, le benjamin, juché sur une élégante voiturette peinte en or, grignote une biscotte. Henrietta, l'aînée, tient maternellement la main de son frère et fixe le spectateur du regard. À côté d'elle, Anna Maria fait la révérence comme si elle faisait son entrée dans le monde, tandis que son frère Richard est saisi en plein divertissement : il excite son chardonneret apprivoisé en jouant un air sur un orgue d'oiseleur. À son insu, l'oiseau s'inquiète d'un **chat** qui, d'un saut, a escaladé la chaise de Richard.

Le plus intéressant ici ne sont pas les figures et leur gestuelle, mais le recours quasi excessif aux symboles, censés exprimer un message qui, sans eux, serait difficile à déchiffrer. Les œillets gisent entre Thomas et Henrietta. Cette dernière, vêtue de bleu comme la Vierge dans les représentations traditionnelles, tient à la main

William Hogarth (détail)
Les Enfants Graham, 1742

Alors que Hogarth n'avait pas encore achevé son portrait, Thomas Graham, le garçonnet situé à l'extrême gauche, est mort à l'âge de deux ans. Les œillets jonchant le sol, au rendu délicat, symbolisent sans doute cette perte et ce sacrifice, de manière aussi subtile que poignante.

William Hogarth
Les Enfants Graham,
1742
Huile sur toile,
160,5 × 181 cm
Londres, National
Gallery

La faux et le sablier
qui surmontent la
pendule soulignent
les connotations
symboliques du
tableau. Les fruits mûrs
du panier – pommes,
poires et raisins –
sont autant d'allusions
à la jeunesse
de Thomas ; le chat
qui effarouche l'oiseau
dans sa cage évoque les
troubles et les dangers
qui rôdent, telle la
mortalité infantile
dans l'Angleterre
du xviiie siècle.

des cerises, fruits du paradis parfois glissés par les peintres dans les mains de l'Enfant Jésus. Même le chardonneret dans sa cage se prête à une interprétation symbolique, car il figure souvent au côté du Christ. Selon la légende, il aurait retiré de son bec une épine à la **couronne** de Jésus avant sa crucifixion. Son plumage aurait rougi d'avoir reçu une goutte du **sang** divin. Si l'artiste n'a laissé aucun témoignage direct, il semble probable qu'il ait délibérément semé ces références au martyre du Christ pour indiquer la mort poignante, à l'âge de deux ans, de Thomas Graham avant l'achèvement de la peinture.

ŒUVRES CLÉS

Léonard de Vinci, *La Madone à l'œillet*, 1475,
Munich, Alte Pinakothek

Andrea Solario, *Homme avec un œillet rose*, v. 1495,
Londres, National Gallery

Francisco de Goya, *La Marquise de Pontejos*, v. 1786,
Washington, National Gallery of Art

John Singer Sargent, *Œillet, Lys, Lys, Rose*, 1885-1886,
Londres, Tate Gallery

LE CYPRÈS

« Les cyprès me préoccupent toujours, je voudrais en faire une chose comme les toiles des tournesols. […] C'est beau comme lignes et comme proportions, comme un obélisque égyptien. Et le vert est d'une qualité si distinguée. C'est une tache *noire* dans un paysage ensoleillé. » Cet extrait d'une lettre adressée par Vincent Van Gogh à son frère Théo, en 1889, éclaire un tant soit peu le sens qu'il attribue aux cyprès, sans doute coloré par la crise mentale qu'il a subie l'année précédente. Pour l'artiste, le cyprès (comme l'olivier) est l'emblème de la Provence où il s'est installé. Mais les mots qu'il emploie signalent par ailleurs qu'il est au fait de leur histoire culturelle.

Dans la Grèce et la Rome antiques, comme en Chine et dans le sous-continent indien, le cyprès signifie la longévité, voire l'immortalité, puisque c'est une espèce à feuillage persistant. Détail curieux, il est aussi associé à la mort, comme le **pavot** : la coutume s'est établie de le planter dans les cimetières. Le cyprès aurait pour vertu de préserver les corps.

Vincent Van Gogh
La Nuit étoilée, 1889
Huile sur toile,
72,5 x 92 cm
New York, MoMA

Dans *La Nuit étoilée*, le cyprès au premier plan évoque un cénotaphe ou un symbole d'éternité reliant la terre au ciel. Beau, bien proportionné, il forme une tache noire sur ce paysage provençal.

Au Japon, il revêt un sens religieux particulier : son bois parfumé sert à construire temples bouddhistes et sanctuaires shinto (où l'on brûle rituellement des branches de cyprès). Le cyprès de Kanō Eitoku (ci-dessous), peint au XVIᵉ siècle, paraît, comme celui de Van Gogh, déborder d'énergie spirituelle : aux prises avec le paysage environnant, il tend vers les cieux son tronc et ses branches.

Si Van Gogh est fasciné par la culture japonaise, il est peu probable qu'il ait pu observer cette peinture d'Eitoku. Contrairement à *La Nuit étoilée*, le *Paravent au cyprès* est un meuble pratique : un écran servant de porte coulissante (*fusuma*), que son décor à la feuille d'or dote d'une valeur monétaire autant qu'esthétique. C'est une commande d'un puissant chef de guerre féodal, Toyotomi Hideyoshi, pour la lignée Hachijonomiya : le cyprès, arbre saint et vigoureux, est un symbole approprié à leur noblesse.

Kanō Eitoku
Paravent au cyprès,
1590
Encre sur papier
couvert de feuille d'or,
170,3 × 460,5 cm
Tokyo, Musée national
de Tokyo

Si Van Gogh incarne dans son cyprès des sentiments qu'il éprouve lui-même, l'arbre d'Eitoku se veut un symbole flatteur pour son mécène : il possède une vertu religieuse, et Eitoku rend bien visible la vigueur avec laquelle il s'est implanté dans son environnement.

ŒUVRES CLÉS

Jan Weenix, *Nature morte de gibier au héron*, 1695, New York, The Metropolitan Museum of Art

Hubert Robert, *Les Cyprès*, 1773, Saint-Pétersbourg, musée de l'Ermitage

Katsushika Hokusai, *Le Col de Mishima dans la province Kai*, extrait de la série « Trente-six vues du mont Fuji », v. 1830-1832, New York, The Metropolitan Museum of Art

Arnold Böcklin, *L'Île des morts*, 1880, Bâle, Kunstmuseum Basel

LE LAURIER

Le terme « lauréat », comme dans « poète lauréat » ou « lauréat du prix Nobel », découle du laurier, signifiant honneur, excellence et victoire, artistique ou militaire. Dans la mythologie gréco-romaine, c'est l'attribut d'Apollon, qui le révère depuis que Daphné, la nymphe virginale dont il s'était épris, s'est changée en laurier pour échapper à sa poursuite érotique.

Dans la Grèce antique, les vainqueurs des concours d'athlétisme, de poésie et de musique étaient couronnés de laurier ; à Rome, les héros des campagnes militaires recevaient ces mêmes **couronnes** et des **palmes**.

Dans *L'Art de la peinture* que Vermeer a peint à Delft (Hollande), la femme vêtue de bleu est Clio, la muse de l'Histoire. Son rôle – célébrer les événements glorieux – transparaît dans ses attributs :

Johannes Vermeer
L'Art de la peinture,
1666-1668
Huile sur toile,
120 × 100 cm
Vienne,
Kunsthistorisches
Museum

Vermeer attire notre regard sur la couronne de laurier en plaçant la tête de Clio dans la zone centrale de sa composition, à l'angle des bordures horizontales et verticales de la carte.

une **trompette** (proclamation), un livre (savoir) et une couronne de laurier (gloire). L'artiste, le dos tourné, est ressaisi alors qu'il peint le dernier de ces attributs, le plus important peut-être, afin de célébrer l'art pictural comme une vocation suprême, égale en mérite à la poésie et à la philosophie.

Le *Portrait de Ginevra de' Benci* de Léonard de Vinci est peint sur l'envers : à gauche, une branche de laurier, à droite, en pendant, une **palme** encerclant un brin de genièvre. Chaque plante revêt une signification allégorique : le genièvre (*ginepro* en italien) est un jeu sur le prénom Ginevra, le laurier évoque le talent poétique du modèle, et la palme renvoie sans doute à sa vertu (voir p. 50-51). Comme pour clarifier définitivement ces symboles, Léonard ajoute la devise *Virtutem Forma Decorat* (« la beauté orne la vertu »). Un même arrangement de symboles forme la devise de l'ambassadeur de Venise à Florence, Bernardo Bembo : aussi le portrait célèbre-t-il également l'amitié entre Bembo et de' Benci.

Léonard de Vinci
Portrait de Ginevra de' Benci, 1474-1478
Huile sur panneau, 38,1 × 37 cm
Washington, National Gallery of Art

Le dos de ce tableau (à gauche) comporte un portrait symbolique du modèle, venant compléter celui, figuratif, du devant.

—— ŒUVRES CLÉS

Ara Pacis Augustæ (Autel de la paix d'Auguste), 9 av. J.-C., Rome, musée Ara Pacis

Paul Véronèse, *Allégorie de la Vertu et du Vice (le choix d'Hercule)*, v. 1565, New York, Frick Collection

Le Bernin, *Apollon et Daphné*, 1622-1625, Rome, galerie Borghèse

Antonio Canova, *Apollon se couronnant lui-même*, 1781-1782, Los Angeles, The J. Paul Getty Museum

LE LIS

Lilium candidum – l'espèce la plus récurrente dans la culture visuelle occidentale – offre une blancheur frappante qui rehausse la sérénité de sa fleur et la hauteur de sa tige. Dans les civilisations méditerranéennes, ces qualités sont fréquemment reliées à une vertu, la pureté virginale. *Lilium candidum* passe pour être originaire de Palestine et du Liban, en bordure est de la Méditerranée, mais la mythologie narre son apparition de façon plus imaginative. Selon la mythologie gréco-romaine, lorsque Héra/Junon, déesse reine de l'Olympe, allaitait son beau-fils Hercule, son lait était si abondant qu'il suffisait au nourrisson de se détourner pour en asperger la terre et le ciel. Dans le ciel, le lait répandu a formé la Voie lactée ; sur terre, les lis ont poussé où il était tombé. Le lis, corollaire de la pureté divine et de la maternité, apparaît aussi dans les doctrines hébraïques et le symbolisme chrétien. Dans l'art biblique, il est d'abord un attribut de la Vierge (avec d'autres symboles comme la **lune**), le plus souvent dans des scènes d'Annonciation.

    Un vase de lis figure au centre du *Triptyque de Mérode*, dit aussi *Triptyque de l'Annonciation*. Il résume un événement d'une importance capitale pour les chrétiens : l'annonce par l'**ange** Gabriel que Marie, simple mortelle, engendrera le Messie. Le décor, montrant une banale cour et un intérieur néerlandais, peut paraître quelconque. En réalité, il regorge d'indices symboliques travestis

Robert Campin
Triptyque de Mérode
(détail), 1427-1432
Tempera et huile
sur panneau,
64,1 × 117,8 cm
New York,
The Metropolitan
Museum of Art

La blancheur du lis représente la pureté de la Vierge. Il figure souvent dans les scènes d'Annonciation, parfois dans un vase (comme ici), ou tenu à la main par l'ange Gabriel.

en objets quotidiens : les lis, la bougie, le chaudron en bronze pendu au mur dans le coin supérieur gauche…, autant d'aperçus sur la façon de penser médiévale en Europe, qui consiste à déceler en chaque objet concret un sens latent, sacré, dont l'importance se laisse découvrir si l'observateur manifeste une pieuse curiosité. Le tableau reflète ce désir de voir un matériau humble et quotidien s'embraser d'un sens mystique.

ŒUVRES CLÉS

Simone Martini, *L'Annonciation*, 1333, Florence, galerie des Offices

Francisco de Zurbarán, *La Maison de Nazareth*, v. 1640, Cleveland, Cleveland Museum of Art

Sir Stanley Spencer, *The Resurrection, Cookham*, 1924-1927, Londres, Tate Gallery

David Hockney, *Mr and Mrs Clark and Percy*, 1970-1971, Londres, Tate Gallery

LE LOTUS

Dans d'innombrables cultures du monde, le lotus est un symbole de pureté spirituelle, sans doute le plus exalté et le mieux exploité parmi les symboles végétaux que recense cet ouvrage. Ses caractères biologiques expliquent son franc succès sur le plan symbolique : les racines du lotus poussent dans la boue stagnante d'un lit de rivière. Les pétales et la fleur (qui s'ouvre au matin et se ferme à la tombée de la nuit) flottent sereinement à la surface de l'eau. Il signifie à la fois la beauté qui émerge du chaos et l'interaction entre la terre mortelle et le **soleil** divin.

Le lotus est d'une importance majeure dans l'hindouisme en ce qu'il symbolise la perfection et la naissance divine : Brahma serait issu d'un lotus doré. La fleur est associée à de nombreuses divinités, parmi lesquelles Vishnou, Surya, Padmapani, Lakshmi, Parvati, Saraswati et Skanda. Dans la pensée bouddhiste, le lotus, synonyme d'une perfection immaculée, est porteur d'une vertu spirituelle encore plus fondamentale : il incarne l'illumination que poursuit Bouddha. Les statues de ce dernier le montrent fréquemment assis sur un trône de lotus ; la fleur compte aussi parmi les huit signes auspicieux placés sur le **pied** du Bouddha.

La Haute-Égypte a pour emblème un lotus, auquel sont associées plusieurs divinités. Le dieu Néfertoum serait lui aussi issu d'un lotus : naissance immaculée depuis le chaos des eaux primordiales. La *Tête de Néfertoum* est en réalité un portrait du pharaon Toutankhamon (v. 1341-v. 1323 av. J.-C.), représenté comme Néfertoum émergeant du lotus. Conjuguant royauté et pouvoir céleste, l'œuvre assigne à Toutankhamon une autorité solaire en même temps qu'elle démontre le pouvoir régénérateur des dieux égyptiens. Ici, le lotus est requis comme symbole d'autorité temporelle.

Artiste inconnu
Tête de Néfertoum, Égypte, XVIIIe dynastie (1549-1292 av. J.-C.) Bois, stuc et peinture, H 30 cm Le Caire, Musée égyptien du Caire

Le lotus est l'emblème du pouvoir royal dans l'Égypte antique.

Or il signifie l'exact contraire dans le *Mandala cosmologique au mont Meru*, où le cercle formant un second cadre intérieur renvoie à une notion fondamentale du bouddhisme : le cycle incessant naissance-mort-réincarnation tant que l'homme n'atteint pas le nirvana – état d'illumination absolu, dernière étape de la conscience de soi, à force de méditation. Un mandala est conçu pour être observé d'une tout autre façon qu'une œuvre occidentale. C'est un diagramme du cosmos, reposant sur une configuration symétrique, où cercles et carrés superposés figurent des zones d'existence. Elles servent, lors des méditations, à guider l'observateur de la périphérie (le monde futile) jusqu'au centre (l'illumination).

Les bordures comportent des vases d'où sortent en spirale des lotus et les huit trésors chinois. Au centre du cercle, quatre quadrants : chacun contient trois paysages miniatures insérés dans des cadres de forme variée placés aux quatre coins cardinaux. Chaque quadrant a sa couleur et sa forme propres. Ils sont disposés comme suit :

Nord (Uttarakuru) – or/jaune, carré
Est (Videha) – argent/blanc, demi-cercle
Sud (Jambudvipa) – lapis/bleu, trapèze
Ouest (Godaniya) – rubis, cercle

Le mont Meru ne s'atteint qu'après sept carrés concentriques figurant **montagnes** et océans. Les symboles chinois du **soleil** (un coq à trois pattes) et de la **lune** (un lapin) flanquent la montagne centrale. Au centre de cet univers spirituel se trouve le sommet du mont Meru (inversé pour lui donner l'aspect d'un calice) où trône le lotus divin à huit pétales.

ŒUVRES CLÉS

Tombeau de Menna, Scène de chasse et pêche dans les marais, 1924, fac-similé de l'original qui date d'environ 1400-1352 av. J.-C., New York, The Metropolitan Museum of Art

Amitābha Buddha (Chine), 585 apr. J.-C., Londres, British Museum

Fariborz Sahba, temple du Lotus, maison de culte Bahá'íe, 1986, New Delhi

Lois Conner, *Xi Hu, Hangzhou, China (Triangle Lotus)*, 1998, New York, The Metropolitan Museum of Art

Artiste inconnu
*Mandala cosmologique
au mont Meru* (Chine),
XIVᵉ siècle
Tapisserie de soie (*kesi*),
83,8 × 83,8 cm
New York,
The Metropolitan
Museum of Art

**Ce mandala chinois
figurant le mont Meru
contient quelques-
uns des symboles
recensés dans ce
livre : les montagnes,
l'eau, le soleil, la lune
et diverses fleurs.
Toutefois, le motif
cardinal est celui
qui apparaît au centre
de la scène, au sommet
du mont Meru (l'axe
du monde) : une fleur
de lotus.**

LA PALME

La valeur symbolique du palmier, comme celle de la **vigne**, tient
à son rôle de plante nourricière plus qu'à sa beauté intrinsèque.
Le palmier dattier a une fonction cruciale dans l'agriculture de
l'ancienne Assyrie, au point d'être tenu pour « l'arbre de vie ».
Cette association avec la fertilité et la nutrition (assurant la victoire
sur la mort) se propage dans l'iconographie égyptienne,
puis gréco-romaine et enfin chrétienne.

En Égypte, Heh, dieu de l'éternité, tient à la main une branche
de palmier avec des encoches, dont chacune symbolise une
année ; dès lors, la palme incarne la vie éternelle. Grecs et Romains
voient en elle un symbole de succès militaire, car c'est un attribut
de la déesse de la Victoire, Niké/Victoria. Les disciples de Jésus
célèbrent son entrée triomphale dans Jérusalem en jonchant
son chemin de palmes : ce sera le dimanche des Rameaux.
Avec le temps, la palme devient le symbole du martyr chrétien,
dont la foi l'emporte sur la mort, notion étendue à la vertu
en général. Dans le tableau de Rossetti, *L'Enfance de la Vierge
Marie*, la palme gisant au sol rappelle au spectateur le martyre
à venir de Jésus, fils de Marie.

L'Enfance de la Vierge Marie est le premier tableau porteur
des initiales « PRB », désignant la confrérie préraphaélite (*Pre-
Raphaelite Brotherhood*), cénacle de jeunes peintres anglais rétifs
aux canons établis par la Royal Academy of Art. Ils veulent étudier
la nature pour la représenter avec exactitude tout en exprimant
des notions spirituelles ; c'est une façon pour eux de réfuter
les effets corrosifs de l'industrialisation qui, à leurs yeux, menace
l'équilibre naturel et l'harmonie sociale. Dans le sillage du critique
d'art John Ruskin, les préraphaélites accordent une grande
importance aux symboles visuels, censés faire accéder le regard
aux concepts spirituels, sans pour autant négliger de scruter
les formes naturelles. Ils se réclament d'artistes comme Botticelli,
Bellini et Van Eyck, dont l'œuvre précède celle du peintre italien
Raphaël (1483-1520) et son style idéalisant. Outre que la figure

Dante Gabriel Rossetti
*L'Enfance de la Vierge
Marie*, 1848-1849
Huile sur toile,
83,2 × 65,4 cm
Londres, Tate Gallery

La palme au sol fait
allusion à l'entrée du
Christ dans Jérusalem,
parmi la foule que
sa renommée a attirée :
selon l'Évangile
de saint Jean, « ils
prirent des palmes et
marchèrent au-devant
de lui en criant
"Hosannah !" ».

de Joachim, père de la Vierge, fait écho à celle de Mercure dans *Le Printemps* (p. 18-19), Rossetti emprunte à la Renaissance du Quattrocento des symboles traditionnels comme le **lis**, la **colombe**, la **vigne** et, sur le plancher, une palme et une branche épineuse qui préfigurent la Crucifixion. Ici, Marie brode un lis dont elle médite le sens figuré ; Rossetti espère que les spectateurs feront de même devant sa toile.

ŒUVRES CLÉS

Artiste inconnu, *Pachedou en prière devant un palmier*, XIXᵉ dynastie, tombe de Pachedou, Deir el-Médineh (Égypte)

Pietro Lorenzetti, *L'Entrée du Christ dans Jérusalem*, v. 1320, Assise (Italie), basilique Saint-François

Le Caravage, *Le Martyre de saint Mathieu*, 1599-1600, Rome, église Saint-Louis-des-Français, chapelle Contarelli

Anselm Kiefer, *Dimanche des Rameaux*, 2006, Londres, Tate Gallery

LA VIGNE

Giovanni Bellini
*L'Extase de saint
François*, v. 1476-1478
Huile sur panneau,
124,1 × 142 cm
New York,
Frick Collection

L'émerveillement
de Saint François
est total lorsqu'il
reçoit les stigmates

— les blessures de la
crucifixion du Christ.
Derrière lui, une vigne
suspendue symbolise
sa dévotion au Christ.
Elle est ici cultivée
en espaliers, détail
que reprendra Dante
Gabriel Rossetti
dans son *Enfance
de la Vierge Marie*
(p. 51).

La feuille de vigne figure dans toutes sortes de décors liés aux diverses religions et cultures du monde. Elle est l'attribut du dieu égyptien Osiris, et on la trouve aussi dans l'iconographie bouddhique. Dans la culture gréco-romaine, sarments, feuilles de vigne et raisins symbolisent le statut de Dionysos/Bacchus, dieu du vin, de la fertilité et de l'extase rituelle. Ces feuilles ornent les bordures des scènes sculptées qui le représentent, formant sa **couronne** et garnissant l'attirail de ses disciples. Avec le christianisme, la vigne prend un sens tout autre. Dans l'Évangile de saint Jean, Jésus proclame « Moi, je suis la vraie vigne », et la plante opère comme une allégorie sur le rapport entre l'homme et Dieu. Dès lors, la vigne représente soit le Christ lui-même, soit, si le raisin voisine avec le blé, le pain et le vin de l'Eucharistie. Dans les répertoires d'emblèmes (*emblemata*) de la Renaissance, la vigne qui enlace un orme mort symbolise une amitié durable.

Saint François d'Assise (1181-1227) était renommé pour sa dévotion envers le Christ comme pour ses affinités avec la nature et les animaux. C'est ce que souligne *L'Extase de saint François* de Giovanni Bellini, peint à Venise entre 1475 et 1480. Deux plantes dominent la partie supérieure de la scène : un **laurier** honorifique, qui semble baisser la tête en réponse à la prière de saint François, et une vigne, symbole de sa dévotion au Christ, couronnant son abri de fortune.

La Cène (d'après Léonard de Vinci) de Yinka Shonibare, créée à Londres, conjugue ces deux traditions occidentales pour atteindre à un effet satirique. L'œuvre se base sur *La Cène* de Léonard de Vinci, figurant le souper à l'origine de l'Eucharistie. Toutefois, Shonibare remplace le Christ par un Dionysos/Bacchus aux pieds de bouc ; alors que la table de Léonard est dressée avec ordre et propreté, celle de Shonibare est un pandémonium de grappes éparpillées, flûtes à champagne renversées, pièces de viande démembrées et tulipes aux couleurs criardes.

ŒUVRES CLÉS

Tête de Dionysos (Gandhara, actuel Pakistan), IVe-Ve siècle av. J.-C., New York, The Metropolitan Museum of Art

Pierre Paul Rubens, *Bacchus*, 1638-1640, Saint-Pétersbourg, musée de l'Ermitage

Jerzy Siemiginowski-Eleuter, *Allégorie de l'Automne*, 1680, Varsovie, musée du palais de Wilanów

Grinling Gibbons, panneau d'autel en tilleul, 1684, Londres, St James Piccadilly

Yinka Shonibare
*La Cène (d'après
Léonard de Vinci)*, 2013
Treize mannequins
grandeur nature,
tissu wax hollandais,
copies d'une table
et de chaises en bois,
argenterie et vases,
verrerie et vaisselle
(antiquités et copies),
fibre de verre et mets
en résine,
158 × 742 × 260 cm
Londres, galerie
Stephen Friedman

**L'artiste a élu le thème
de la bacchanale
pour rappeler
aux spectateurs
l'hédonisme et
les débordements
du passé, soit la France
de l'Ancien Régime
(les figures sont
décapitées pour
évoquer la Terreur
et ses exécutions).
Mais il dénonce aussi
l'écart contemporain
actuel entre richesse
et pauvreté, au cœur
de la crise financière
mondiale de
2007-2008.**

LE PAVOT

L'opium provient des têtes à graines des pavots. Aussi cette
fleur symbolise-t-elle souvent les effets produits par l'opium :
le sommeil, la dégénérescence et, par extension, la mort. Hypnos,
dieu grec du sommeil, et Nyx, allégorie de la nuit à la Renaissance,
l'ont tous deux pour attribut. Dans l'art chrétien, toutefois,
le rouge intense du pavot explique qu'il ait aussi symbolisé
le **sang** du Christ. Ces connotations sacrificielles perdurent
à l'époque moderne. En Grande-Bretagne comme en Australie,
en Nouvelle-Zélande, au Canada et en république d'Irlande,
on porte un coquelicot artificiel le 11 novembre, jour anniversaire
de l'Armistice, pour commémorer les hécatombes de la Première
Guerre mondiale.

Dans l'*Ophélie* de Sir John Everett Millais, la plus grande des fleurs qui flottent à la surface de l'eau est un pavot rouge, symbolisant la mort par noyade de l'héroïne. Cette scène s'inspire du *Hamlet* de Shakespeare, où la jeune Ophélie devient folle de chagrin après le meurtre accidentel de son père par son ami de cœur, Hamlet. Dans son délire, elle distribue des fleurs aux membres de la cour en indiquant la valeur symbolique de chacune. Plus tard, elle tombe dans une rivière et se noie. Toutefois, sa mort tragique n'est pas montrée aux spectateurs ; elle est décrite en détail par la reine Gertrude. Millais restitue cette scène absente en s'appuyant sur les termes évocateurs de la pièce :

Sir John Everett Millais
Ophélie, 1851-1852
Huile sur toile
76,2 × 111,8 cm
Londres,
Tate Gallery

Millais passe des mois entiers à peindre en plein air, près d'une rivière du Surrey, pour aboutir à une représentation suffisamment exacte et détaillée de la nature. Le pavot ressort sur la toile, car le rouge et le vert sont des couleurs complémentaires.

« Et [Ophélie] et ses trophées agrestes sont tombés
Dans le ruisseau en pleurs. Sa robe s'étendit
Et telle une sirène un moment la soutint,
[…] Alourdis
Par ce qu'ils avaient bu, ses vêtements
Prirent au chant mélodieux l'infortunée,
Ils l'ont donnée à sa fangeuse mort. »

Millais est membre de la confrérie des préraphaélites, qui accorde une importance fondamentale au langage des symboles (voir *L'Enfance de la Vierge Marie* de Dante Gabriel Rossetti, p. 51). Dans *Ophélie*, chaque fleur dépeinte avec soin revêt un sens spécifique, celui que lui assigne Shakespeare. Il en est d'autres, toutefois, que ne mentionne pas la pièce : pour interpréter cette image, le public victorien auquel s'adresse Millais devra consulter l'un des nombreux traités de floriographie récemment publiés, tel celui de Mary Ann Bacon, *Flowers and their Kindred Thoughts* [Les fleurs et leurs pensées assorties], 1848.

ŒUVRES CLÉS

Sarcophage en marbre romain orné du mythe de Séléné et d'Endymion, début du IIIe siècle av. J.-C., New York, The Metropolitan Museum of Art

Paolo Veneziano, *Madone au pavot*, 1330 ou 1333, Venise, église San Pantalon

Michel-Ange, *La Nuit*, 1526-1531, Florence, basilique San Lorenzo, Sacristie nouvelle

Paul Cummins et Tom Piper, *Blood Swept Lands and Seas of Red*, 2014, installation temporaire *in situ* à la Tour de Londres

LE TOURNESOL

Le tournesol, ou héliotrope, est originaire des Amériques :
il n'est introduit en Europe qu'au XVIe siècle. Il y devient rapidement
symbole de dévouement, car, jusqu'à sa maturité, c'est une plante
qui tourne sa corolle vers le **soleil** dont il suit la trajectoire dans
le ciel. Dans l'*Autoportrait au tournesol* d'Antoine Van Dyck,
la fleur pose à la façon d'un second modèle, double spéculaire
de l'artiste : ses pétales du haut rebiffent vers l'intérieur avec
la même insouciance que les mèches sur le front de Van Dyck.
Les **gestes de la main** renforcent cette connexion, mais la main
gauche de l'artiste présente aussi négligemment la chaîne d'or
qui pend à son cou. Elle a été remise à Van Dyck par le roi Charles Ier
d'Angleterre lorsqu'il l'a fait chevalier et l'a nommé son « peintre
principal ». Aussi le tournesol symbolise-t-il la loyauté de l'artiste
envers le monarque, notion sans doute empruntée à l'un des
nombreux livres d'emblèmes publiés au cours du XVIIe siècle.
Comme pour d'autres tableaux mentionnés dans cet ouvrage,
l'iconographie de Van Dyck n'était sans doute lisible que pour
un petit cercle d'esprits distingués, amateurs d'art.

 La culture des tournesols aurait émergé vers 3000 av. J.-C., dans
les régions méridionales de l'Amérique du Nord, parmi lesquelles
l'actuelle Arizona. C'est là que Dorothea Tanning peint *Eine kleine
Nachtmusik*, alors qu'elle y vit avec son partenaire et futur époux,
Max Ernst (voir *Les hommes n'en sauront rien*, p. 26).

Antoine Van Dyck
*Autoportrait
au tournesol*, 1633
Huile sur toile,
60 × 73 cm
Collection particulière

Si nous ne pouvons
guère vérifier cette
hypothèse, il est
généralement admis
que le tournesol
symbolise ici la loyauté
de Van Dyck envers
le roi Charles Ier
d'Angleterre.

Sous le pinceau de Dorothea Tanning, le tournesol relaie les idées personnelles et les notions psychologiques de l'artiste. Elle-même dit avoir associé cette fleur au soleil brûlant et suffoquant d'Arizona, en ajoutant : « Le sujet, c'est la confrontation. Tout le monde, homme ou femme, croit être un drame en soi. S'il manque parfois un tournesol géant (la plus agressive des fleurs) pour adversaire, restent les escaliers, les vestibules, et mêmes des théâtres très privés où se jouent suffocations et finalités… »

À l'instar de nombreux artistes aux XXe et XXIe siècles, Dorothea Tanning jette par-dessus bord l'iconographie conventionnelle dans *Eine kleine Nachtmusik* (ci-contre) et convoque à la place des symboles empreints d'une résonance intime de mauvais augure.

ŒUVRES CLÉS

Bartholomeus Van der Helst, *Jeune femme tenant un tournesol à la main*, 1670, collection particulière

Charles de La Fosse, *Clytie changée en tournesol par Apollon*, 1688, Versailles, Grand Trianon

Vincent Van Gogh, *Les Tournesols*, 1888, Londres, National Gallery

Egon Schiele, *Tournesol II*, 1910, Vienne, Kunsthistorisches Museum

Dorothea Tanning
Eine kleine Nachtmusik
[Une petite musique
de nuit], 1943
Huile sur toile,
40,7 × 61 cm
Londres,
Tate Gallery

Avec cette fleur symbolique, l'artiste laisse pressentir une barbarie indéterminée qui affecte les deux fillettes. Notons le détail révélateur des deux pétales jaunes arrachés à la tête du tournesol, à un endroit qui s'aligne sur une porte ouverte dans le corridor, celle d'une chambre à coucher.

LES OISEAUX

-

Comment saurais-tu que
chaque oiseau qui fend l'air
Est un immense univers de merveille,
que ferment tes cinq sens ?

-

William Blake

1793

LA COLOMBE

Le Greco
L'Annonciation,
1597-1600
Huile sur toile,
315 × 174 cm
Madrid,
musée du Prado

Dans l'iconographie
chrétienne tardive,
la colombe devient
l'emblème du Saint-
Esprit. On peut
la trouver dans
les décors d'église
ou dans des scènes
comme *L'Annonciation*
du Greco, tableau
peint en Espagne.

Les cultures du monde associent souvent la colombe à un trait bienveillant (la paix) comme à l'âme humaine, contrairement à d'autres oiseaux cités ici – l'**aigle** et le **faucon** sont des symboles de prestige et de pouvoir. La colombe se laisse observer dans des œuvres apparues au sein des communautés les plus ancestrales, où elle peut côtoyer de puissantes déesses de la fertilité et de la sexualité, telle Inanna (dans la culture sumérienne) et ses variantes Ishtar (dans l'Empire akkadien de Mésopotamie, v. 2334-2154 av. J.-C.) et Astarté (chez les Phéniciens, v. 2500-539 av. J.-C.). De même, la colombe est un attribut de la déesse gréco-romaine de l'amour, Aphrodite/Vénus. En Chine, sous la dynastie Han, c'est un symbole de longévité ; au Japon, elle incarne l'unité.

Sur les tombes des premiers chrétiens, une colombe tenant un rameau d'olivier figure l'âme qui repose en paix dans les cieux. C'est une allusion au livre de la Genèse, dans l'Ancien Testament : Noé lâche une colombe qui s'en revient avec un rameau d'olivier, signe de concorde entre Dieu et l'humanité.

ŒUVRES CLÉS

Fleuron décoratif en forme de colombe (Chine), v. 206 av. J.-C.-220 apr. J.-C., Oxford, Ashmolean Museum

Mosaïque au plafond du baptistère des Ariens, début du VIe siècle, Ravenne, baptistère des Ariens

Titien, *Vénus et Adonis*, v. 1560, New York, The Metropolitan Museum of Art

Banksy, *Colombe de paix armée*, 2007, Israël/Palestine

Pablo Picasso
Colombe avec Fleurs, 1957
Crayons de couleur sur papier, 50 x 65 cm
Collection particulière

Picasso a raconté à un congrès de la paix à Sheffield en 1950 comment son père lui avais appris à peindre les colombes, et conclu : « Je suis pour la vie contre la mort ; je me tiens pour la paix contre la guerre ».

L'AIGLE

Dans le portrait de Ice-T que l'on doit à Kehinde Wiley, la tête et les ailes d'un aigle sont tout juste visibles sous les pieds du rappeur légendaire. L'aigle symbolise le pouvoir, celui notamment des empereurs romains et de leur milice. Le peuple romain décrète l'aigle l'oiseau du plus haut rang parce que Jupiter, leur dieu suprême, roi du panthéon, l'a pour attribut. Dans la culture sumérienne et le zoroastrisme, l'aigle était déjà un symbole divin. Après les Romains, il a été « recyclé » par de nombreux empires : le Saint Empire romain germanique (800-1806), le Premier Empire français (1804-1815) et l'empire de Russie (1721-1917). De tous les symboles inclus par Wiley dans son portrait, l'aigle possède la plus longue histoire.

Ice-T, commande de la chaîne musicale VH1, rejoint une série de portraits de stars iconiques réalisée par Wiley en 2005 pour la remise des prix « Hip Hop Honors ». Comme souvent, l'artiste insère une célébrité noire contemporaine dans un tableau emprunté au canon occidental. Ébranlant nos présupposés, il nous contraint à repenser le lexique visuel du pouvoir et de l'auto-mise en scène masculine.

Avant d'entreprendre son œuvre, Wiley a rencontré Ice-T afin de s'entendre avec lui sur la façon de le représenter. « Il avait un ego carrément outrancier, a déclaré Wiley par la suite. C'est toujours moi qui invite ces célébrités à se choisir un modèle, et lui a piqué droit sur un portrait de Napoléon. En disant, genre : "Si quelqu'un mérite d'être Napoléon, c'est moi. Je suis le père du gangster rap." Et donc, il s'est couronné. »

Le portrait élu par Ice-T est celui d'Ingres, *Napoléon Ier sur le trône impérial*, dont Wiley n'a guère modifié les détails. Reste un changement significatif : sur la toile d'Ingres, l'extrémité

Kehinde Wiley
Ice-T, 2005
Huile sur toile,
243,8 × 182,9 cm
Collection particulière

Wiley recycle et adapte un portrait réalisé en 1806 par Jean Auguste Dominique Ingres, *Napoléon Ier sur le trône impérial*, pour figurer Ice-T comme l'empereur tout-puissant du hip hop. Il inclut tous les symboles traditionnels de l'autorité.

Le Tintoret
*L'Origine de la Voie
lactée*, v. 1575
Huile sur toile,
149,4 × 168 cm
Londres,
National Gallery

**Le Tintoret recourt
aux attributs de Zeus/
Jupiter (l'aigle) et de
Héra/Junon (le paon)
pour désigner le couple
de protagonistes dans
ce mythe portant sur
la création de la Voie
lactée. Une partie de la
toile a été supprimée :
on y voyait les lis
pousser à l'endroit où
le lait de Héra/Junon
éclaboussait la terre.**

du sceptre de Charlemagne, tenu à la main gauche par Napoléon, repose sur l'aile de l'aigle. Chez Wiley, elle désigne sa tête ; *Ice-T* pointe vers le bas un index gauche impérieux désignant à notre attention le puissant symbole.

L'appropriation artistique à laquelle se livre Wiley n'est pas inédite dans la culture occidentale. Ingres lui-même a adopté les figures et leurs arrangements d'œuvres antérieures, notamment la statue colossale de Phidias, *Zeus*, conservée à Olympie (v. 435 av. J.-C.), ou Dieu le Père tel que le peint Van Eyck dans le *Retable de l'Agneau mystique* à Gand (1432) : il infuse son œuvre de leur puissance. Dans les représentations traditionnelles de Zeus/Jupiter, telle *L'Origine de la Voie lactée* du Tintoret, le dieu surplombe fréquemment un aigle porteur d'un éclair de **foudre**. Cela s'explique par une croyance romaine : l'aigle conduirait au ciel l'âme des empereurs après leur mort.

Sur la toile du Tintoret, Jupiter emporte subrepticement Hercule, son fils illégitime, pour le mettre au sein de Junon endormie, épisode rattaché au mythe de création de la Voie lactée et des **lis** (voir p. 44). Pendant ce temps, l'aigle de Jupiter hèle insolemment l'attribut de Junon, un **paon** qui le snobe, à juste titre.

ŒUVRES CLÉS

Panneau néo-assyrien en relief montrant une divinité à tête d'aigle, v. 883-859 av. J.-C., New York, The Metropolitan Museum of Art

Nicolas Poussin, *Paysage avec saint Jean à Patmos*, 1640, Chicago, The Art Institute of Chicago

Jacques Louis David, *La Distribution des aigles*, 1810, Versailles, château de Versailles

Robert Rauschenberg, *Canyon*, 1959, New York, MoMA

LA CHOUETTE

Oiseau de nuit, la chouette se rattache à la mort et à l'obscurité dans les iconographies maorie, babylonienne, chinoise, japonaise et hindoue. C'est ici le seul oiseau aux connotations largement négatives, au contraire de l'**aigle** royal, de la paisible **colombe**, de la noble **grue** et du **faucon** agile. Une ancienne sculpture mésopotamienne conservée au British Museum et intitulée le *Relief de Burney* (v. 1800-1750 av. J.-C.) offre un premier exemple, remarquable, de cette aura sinistre : une déesse chthonienne flanquée de chouettes. Ailleurs, toutefois, la chouette évoque la sagesse. C'est l'attribut d'Athéna/Minerve, déesse gréco-romaine de la guerre stratégique comme de l'apprentissage. Dans l'art de la Renaissance, les chouettes sont l'allégorie du sommeil. Dans *La Nuit* de Michel-Ange (1526-1531), ornant la Nouvelle Sacristie de la basilique San Lorenzo à Florence, une chouette jouxte une guirlande de **pavots** somnifères.

Rembrandt
Pallas Athéna, 1657
Huile sur toile,
118 × 91 cm
Lisbonne, musée
Calouste-Gulbenkian

Cette toile de Rembrandt, peinte dans la République hollandaise, convoque un ensemble typique d'attributs pour la déesse : entre autres, un bouclier orné d'une tête de Méduse et une chouette en or au sommet du casque.

L'ornement de bâton précolombien en forme de chouette, façonné dans la région correspondant à l'actuelle Colombie septentrionale, est en or (alors qualifié de « sueur du **soleil** »). Nous en savons relativement peu sur l'iconographie zenú, mais il est probable que la chouette avait pour eux un statut, voire un pouvoir divin, d'où sa présence sur ce bâton destiné à un prêtre ou à un chef zenú. Contrairement aux civilisations précolombiennes voisines, les zenú représentent les animaux comme des protecteurs bienveillants, et non comme des êtres féroces ou vengeurs.

ŒUVRES CLÉS

Relief de Burney (Mésopotamie, actuel Irak), 1800-1750 av. J.-C., Londres, British Museum

Tétradrachme (grec) avec la chouette d'Athéna au revers, 594-527 av. J.-C., Londres, British Museum

Francisco de Goya, *Le Sommeil de la raison engendre des monstres* (n° 43), tiré de la série « Les Caprices », 1799. Des gravures de cette œuvre sont conservées à Kansas City, au Nelson-Atkins Museum of Art, et dans diverses collections internationales

Paul Nash, *Totes Meer* [Mer Morte], 1940-1941, Londres, Tate Gallery

Artiste inconnu
Ornement de bâton (zenú) en forme de chouette,
1-1000 apr. J.-C.
Or, 12,1 × 6,7 × 4,5 cm
New York,
The Metropolitan
Museum of Art

La chouette qui sert de fleuron à ce bâton de cérémonie proclamait sans doute le prestige du chef ou du prêtre zenú possesseur de l'objet.

LE PAON

Le paon est un emblème de royauté en Inde, en Chine
et en Perse, où il sert parfois de monture à Brahma, à Bouddha
et au dieu guerrier hindou Kartikeya/Skanda. Sa grâce naturelle
et ses couleurs étincelantes en font un symbole de beauté, en Asie
comme en Europe : c'est ce que font prévaloir ses représentations
picturales, dont celle d'Imazu Tatsuyuki, *Paons et cerisier*. Au Japon,
il symbolise aussi la bonne fortune, car il est associé aux divinités
bouddhiques, à la fertilité et à l'abondance (son plumage comporte
une myriade d'« yeux »), et à la protection (le paon mange
les **serpents**).

Dans la mythologie gréco-romaine, le paon, animal royal,
est l'attribut de la souveraine des dieux Héra/Junon. Le motif
qui distingue son plumage lui a été conféré après la mort de
son serviteur, le géant Argus aux cent yeux. Pierre Paul Rubens,
lorsqu'il peint Marie de Médicis et le roi Henri IV, ennoblit encore
ses modèles en les comparant à ces divinités classiques suprêmes :
l'**aigle** de Zeus/Jupiter est visible dans le coin supérieur gauche,
où il fait pendant au paon de Héra/Junon.

Imazu Tatsuyuki
Paons et cerisier, v. 1925
Paravent à deux
panneaux, couleurs
minérales et poudres
métalliques sur papier,
203,5 × 185 cm
New York,
The Metropolitan
Museum of Art

**Cet élégant paravent
montre une paonne
admirant le plumage
opulent d'un paon.**

Pierre Paul Rubens
Henri IV reçoit le portrait de la reine et se laisse désarmer par l'amour,
1622-1625
Huile sur toile,
394 × 295 cm
Paris, musée du Louvre

Rubens recourt aux attributs conventionnels pour figurer les dieux : un aigle alerte, porteur de foudre, pour Zeus/ Jupiter, et un paon superbe mais passif pour Héra/Junon.

Dans l'iconographie chrétienne, le paon est associé à l'immortalité (sa chair échapperait à la putréfaction) comme à la résurrection (son plumage se renouvelle). Il symbolise aussi le ciel, car les « yeux » de son plumage évoquent des étoiles. C'est pourquoi un paon figure dans *L'Adoration des Mages,* comme dans la version de Fra Angelico et Fra Filippo Lippi.

ŒUVRES CLÉS

Skanda sur sa monture, le paon, VIIe siècle av. J.-C., Paris, Musée national des arts asiatiques-Guimet

Fra Angelico et Fra Filippo Lippi, *L'Adoration des Mages,* v. 1440-1460, Washington, National Gallery of Art

Carlo Crivelli, *Annonciation avec saint Emidius,* 1486, Londres, National Gallery

William Morris, motif de rideau *Paon et dragon,* 1878, Londres, Victoria and Albert Museum

LE PHÉNIX

Un phénix est une créature mythologique dont le cycle de vie dure cinq cents ans, après quoi il se consume dans ses propres flammes pour renaître de ses cendres. Il est seul de son espèce : il n'y en a qu'un au monde à tout moment. Le mot « phénix » est gréco-romain ; d'autres cultures ont d'autres dénominations pour des créatures similaires : *bennu* dans l'Égypte ancienne, *feng huang* en Chine et *si-murg* en Perse. En Chine, le phénix symbolise un gouvernement bienveillant ; c'est l'emblème de l'impératrice, quand le **dragon** est celui de l'empereur ; et il est l'un des quatre gardiens de l'univers avec le dragon, la licorne et la tortue. Capable de se régénérer, il devient une métaphore du rajeunissement, le pendant animal de l'**eau** et du **cyprès**, en ce qu'il signifie longévité et résilience face au déclin.

Ce lien avec le renouveau est mis en lumière dans l'iconographie chrétienne, où le phénix figure la résurrection du Christ. Ainsi, il apparaît sur la façade de la cathédrale Saint-Paul de Londres, au-dessus de l'inscription latine *RESURGAM* (« Je me lèverai de nouveau »). L'actuelle cathédrale remplace en fait une structure plus ancienne, détruite lors du grand incendie de Londres en 1666. Déclenché dans une boulangerie, le feu s'est vite propagé, anéantissant la ville entière et laissant les quatre cinquièmes de ses édifices dévastés. Ce fut une catastrophe pour la majorité des Londoniens, mais une aubaine pour l'architecte Sir Christopher Wren qui dirigea la reconstruction de Saint-Paul et de cinquante et une autres églises dans la cité de Londres. La cathédrale rouvrit ses portes après un délai de construction étonnamment court : trente-six ans seulement.

Caius Gabriel Cibber
Resurgam (bas-relief représentant un phénix), 1675-1711
Pierre de Portland
Londres, cathédrale Saint-Paul

Quel meilleur symbole pour orner le fronton sud de la cathédrale qu'un phénix ? Il illustre la régénérescence de Londres et le caractère irrépressible de la foi chrétienne (protestante, plus particulièrement) après la destruction de la précédente cathédrale lors du grand incendie de 1666.

ŒUVRES CLÉS

Panneau à décor de phénix et de fleurs (Chine), XIVe siècle av. J.-C., New York, The Metropolitan Museum of Art

Le Phénix, extrait du *Bestiaire d'Aberdeen*, XIIe siècle, Aberdeen (Écosse), université d'Aberdeen

Carreau de céramique à décor de phénix (Perse), fin du XIIIe siècle, New York, The Metropolitan Museum of Art

James Gillray, *Napoléon Bonaparte* (« *Apothéose du phénix corse* »), 1808, Londres, National Portrait Gallery

LE FAUCON

Le faucon est l'attribut des élites sociales en Europe et en Asie,
aussi figure-t-il dans maint portrait où il rehausse la dignité
du modèle, tel ce *Prince au faucon* peint en Inde. Là-bas,
outre le faucon que même un prince moghol traite avec respect,
les oiseaux sont un symbole prédominant. Au-dessus de la taille,
le superbe vêtement jaune du prince est orné d'oiseaux
majestueux, dont plusieurs **grues** et un **phénix**. La fauconnerie
est le divertissement des riches et des puissants : au XIIIᵉ siècle,
Marco Polo observe que l'empereur mongol Kubilaï Khan prend
avec lui une suite de 70 000 hommes pour la chasse au vol.
Le coût d'une telle expédition explique que le faucon soit associé
au prestige et à l'exercice du pouvoir. Mais ses vertus animales
– haut vol, agilité, vue perçante – lui valent également
de symboliser la noblesse d'esprit. Au Japon et en Chine,
les termes « faucon » et « héroïque » sont homophones.

Artiste inconnu
Prince au faucon (Inde),
v. 1600-1605
Aquarelle opaque,
or et encre sur papier,
14,9 × 9,5 cm
Los Angeles, Los Angeles
County Museum of Art

**La place d'honneur
qu'occupe le faucon au
centre de cette vignette
est une façon de souligner
son prestige aristocratique.
Le prince moghol a des
gestes significatifs :
il s'efforce d'apaiser le
faucon du regard, de le
cajoler de la main – preuve
qu'il ne s'agit pas d'un
simple oiseau apprivoisé.**

Dans l'Égypte ancienne, cet oiseau a une importance suprême, car le dieu-roi Horus est représenté sous l'aspect d'un faucon ou avec une tête de faucon. Il est aussi rattaché à d'autres divinités : Rê, Montou, Khonsou et Sokar. De fait, le hiéroglyphe du faucon signifie le mot « dieu ».

Un pectoral égyptien (ci-dessous) comporte deux faucons d'envergure. Il est en or serti de 372 pierres fines taillées : cornalines, lapis-lazuli, turquoises et grenats. Un peu plus petit qu'une carte de crédit, il est porté au bout d'une chaîne, sans doute par une princesse.

Artiste inconnu
Pectoral sans sa chaîne (Égypte), côté face, v. 1887-1878 av. J.-C. Or, cornaline, feldspath, grenat, turquoise et lapis-lazuli, 4,5 × 8,2 cm
New York, The Metropolitan Museum of Art

Au centre de ce pectoral, les armoiries de Senwosret II et les faucons tenant des « shen » (cercles protecteurs) symbolisent le soutien des dieux à ce pharaon.

ŒUVRES CLÉS

Amulette : faucon à tête de bélier, v. 1550-1069 av. J.-C., Paris, musée du Louvre

Couple seigneurial (Le bain du faucon), (Pays-Bas), tapisserie, v. 1400-1415, New York, The Metropolitan Museum of Art

Pintoricchio, *Pénélope et les prétendants*, v. 1509, Londres, National Gallery

Kesu Das, *Akbar, avec un faucon, recevant le khan Itiman tandis que plus bas un garde royal éloigne un pauvre suppliant*, page extraite d'un album de Jahângîr, 1589, Berlin, Staatsbibliothek

LA GRUE

En Chine et au Japon, la grue est un motif récurrent, religieux, politique et artistique. Naturellement gracieuse et élancée, comme l'atteste sa parade nuptiale, elle sait planer haut dans les airs. C'est donc un symbole d'élégance, d'ascendant, d'éveil spirituel, d'ambition personnelle et, comme le **phénix**, de longévité. À cet égard, l'art chinois l'associe souvent au pin et à la tortue, autres symboles d'endurance. Oiseau de haute altitude, la grue est censée conduire au ciel l'âme des défunts et agir en messagère des dieux.

Le *Portrait d'un censeur impérial et de son épouse*, réalisé sous la dynastie Qin, contient, entre autres symboles visuels, des créatures mythologiques. Elles ornent les vêtements de cour des époux, indice que le mari occupe un poste de haut rang dans la fonction publique. Ici, les symboles les plus favorables sont ceux qui reflètent l'espoir du couple en une vie longue et prospère : le pin en surplomb et les deux grues du Japon au premier plan.

En Europe, la grue est parfois l'emblème du devoir et de la vigilance. On affirme que dans un clan de grues, l'une reste toujours éveillée pour monter la garde : elle tient une pierre dans sa serre afin que, si jamais elle s'assoupissait, elle laisse choir la pierre dont le bruit la réveillerait. C'est un motif répandu dans l'héraldique et la tapisserie, comme l'atteste la tapisserie *La Pêche miraculeuse* (1515).

La grue en origami (papier plié) est un symbole de paix au Japon. Cela est dû à l'histoire de Sadako Sasaki qui, à deux ans, fut victime de la bombe atomique de Hiroshima en 1945. Exposée aux radiations, elle contracta une leucémie et finit par mourir à l'âge de douze ans. Pendant les derniers mois de sa vie, elle confectionna un millier de grues en origami parce que son père lui avait conté une légende japonaise selon laquelle cet acte apporte la longévité.

Artiste inconnu
Portrait d'un censeur impérial et de son épouse,
fin XVIIIe-début XIXe siècle
Rouleau, encre et couleur sur soie,
image : 163,8 × 98,7 cm
New York,
The Metropolitan Museum of Art

En Chine, la grue est de bon augure ; c'est un porte-bonheur. On considérait autrefois qu'elle vivait mille ans, et son retour au printemps fait qu'on l'associe au renouveau.

ŒUVRES CLÉS

Attribué à l'empereur Huizong, *Grues de bon augure*, v. 1112, Liaoning (Chine), Musée provincial

Grues, page extraite d'Edward Harley, *Bestiaire*, XIIIe siècle, Royaume-Uni, British Library

Domenico Beccafumi, *Vénus et Cupidon*, v. 1530, La Nouvelle-Orléans, New Orleans Museum of Art

Sadako Sasaki, *Grues en papier*, 1955, Hiroshima, Mémorial de la paix de Hiroshima

LES BÊTES

-

**Le symbole est une clé qui ouvre
un royaume plus grand que lui-même
et que l'homme qui l'exploite.**

-

J. C. Cooper
1978

LE CHAT

Dans *L'Éveil de la conscience*, le chat qui joue sous la table avec un oiseau blessé est le plus visible des symboles disséminés sur la toile, dont le microcosme s'éclaire grâce à lui. Il s'agit d'un salon huppé, où un couple non marié partage un instant d'intimité : pour ce péché ancestral, un décor à l'avenant. Or le tableau détourne les conventions du genre, car la femme reprend ici le contrôle sur sa vie. Comprenant son erreur, elle se lève et s'écarte de son amant pour aller observer, comme avec un regard neuf, la beauté et la simplicité du jardin verdoyant qu'on devine dans le grand **miroir** placé au fond. Le chat, lui, rend manifestes les intentions perfides de l'homme.

Quand *L'Éveil de la conscience* fut exposé à la Royal Academy en 1854, John Ruskin, critique d'art distingué, écrivit au *Times* pour exprimer son agacement devant l'incapacité des spectateurs (pour la plupart) de cerner ces symboles obliques. Ruskin glose soigneusement plusieurs d'entre eux : outre le chat, le papier peint où des oiseaux de proie picorent du blé à l'insu de Cupidon endormi, et les fleurs blanches du jardin signifiant la pureté à laquelle aspire la femme. Hunt n'innove pas en représentant ce chat comme un fripon à l'œil exorbité, car l'art occidental l'associe fréquemment au mal satanique, aux sorcières et au mauvais œil. Dans *La Cène* (1480) peinte par Domenico Ghirlandaio pour le couvent San Marco de Florence, un chat flanque Judas pour souligner son naturel malveillant. Cet animal n'est du reste jamais mentionné dans la Bible.

William Holman Hunt
L'Éveil de la conscience, 1853
Huile sur toile, 76 × 56 cm
Londres, Tate Gallery

Outre cette toile, Hunt expose à la Royal Academy sa *Lumière du monde*, qui montre le Christ frappant à une porte close. Considérés de pair, les deux tableaux font voir deux volets de la morale chrétienne. Les symboles sont essentiels à la façon dont l'artiste communique avec son public.

Artiste inconnu
Statuette de chat, destinée à contenir une momie de chat, 332-330 av. J.-C. Bronze (cuivre et plomb), 32 × 11,9 × 23,3 cm New York, The Metropolitan Museum of Art

De nombreuses statuettes pareilles à celle-ci ont été trouvées dans les temples égyptiens dédiés à la déesse Bastet. Un petit trou dans l'oreille droite signale que ce chat portait jadis une boucle d'oreille en or.

Ailleurs, les chats sont moins dénigrés. En Chine, ils ont trait à la guérison et à la prédiction de l'avenir (bien qu'il existe des légendes où des chats-démons dérobent l'or et les terres de leurs proies). Dans l'Égypte ancienne, ils jouissent d'un vaste prestige et, à l'occasion, figurent des divinités. Bastet est la principale de ces divinités félines, maternelle et protectrice, même si l'art égyptien la montre souvent en train de tuer Apophis, dieu **serpent** des Enfers. On considère que les chats ont d'abord été domestiqués en Égypte (et dans le Croissant fertile), où leur habileté à garder les foyers exempts de vermine a fait qu'on les a vénérés comme des gardiens combattant le chaos. Cette élégante *Statuette de chat* a servi de sarcophage à la momie d'un chat domestique avant d'être déposée en offrande par ses maîtres dans l'un des temples de Bastet. Elle était sans doute sertie de gemmes authentiques et comportait un pendentif ciselé représentant l'**œil** Oudjat.

ŒUVRES CLÉS
Chat attrapant une caille, mosaïque, v. 2 apr. J.-C., Naples, Musée archéologique national
Hendrick Goltzius, *La Chute de l'homme*, 1616, Washington, National Gallery of Art
Édouard Manet, *Olympia*, 1863, Paris, musée d'Orsay
Théophile Alexandre Steinlen, *Le Chat Noir*, 1896, Amsterdam, musée Van Gogh

LE CERF

Un peu comme la **grue**, le cerf est généralement dépeint comme une créature éthérée et mystique. Au Japon, on le révère depuis la Préhistoire, comme l'atteste ce *Cerf portant un miroir sacré contenant cinq Honji-Butsu de Kasuga* au socle orné de **nuages** célestes. Cette sculpture est une offrande destinée au sanctuaire de Kasuga à Nara, dans le sud du Japon. Il jouxte le mont Mikasa sur lequel, selon la légende, le dieu Takemikazuchi-no-Mikoto aurait été transporté par un cerf descendu des cieux. Les véritables cerfs qui occupent le parc du sanctuaire sont protégés, à l'instar de créatures célestes, et laissés en liberté. Cette sculpture inclut plusieurs éléments sacrés, parmi lesquels un arbre dit sakaki et un **miroir** contenant cinq versions bouddhistes de dieux shinto. Le bouddhisme s'est propagé au Japon vers le IXe siècle av. J.-C., et la sculpture témoigne de cette interface entre les anciennes croyances et celles fraîchement importées.

Dans la mythologie gréco-romaine, le cerf est l'escorte gracieuse ou la victime élégante d'une puissance supérieure. C'est l'attribut d'Artémis/Diane, déesse de la chasse, qui punit le chasseur Actéon de l'avoir surprise nue au bain en le transformant en cerf, avant de le faire dévorer par sa meute. Aphrodite/Vénus, Athéna/Minerve et Apollon sont aussi associés au cerf à différentes époques, en tant que figures chasseresses.

Artiste inconnu
Cerf portant un miroir sacré contenant cinq Honji-Butsu de Kasuga,
XIVe siècle
Bronze doré, H 116 cm
Osaka, musée Hosomi

Cette œuvre frappe par sa présence : le soin apporté par le sculpteur à la précision anatomique résulte de son respect profond – d'inspiration religieuse – pour la nature.

Dans *Gibbons et cerfs* (ci-dessous), les animaux opèrent de façon tout autre que ceux qui sont cités ailleurs dans ce livre. La peinture tout entière se veut un rébus, une énigme pour laquelle il faut identifier les éléments picturaux à voix haute afin de former un mot ou une phrase. En chinois, les mots « gibbon » et « cerf » ont pour homophones respectifs « premier » et « pouvoir ». L'image se laisse donc identifier comme un vœu de réussite au destinataire, qui s'apprête à passer le concours de la fonction publique où la première place garantit richesse et autorité.

Artiste inconnu
Gibbons et cerfs
(Chine), 1127-1279
Feuille d'album, encre
et couleur sur soie,
17,8 × 22,2 cm
New York,
The Metropolitan
Museum of Art

**Dans ce manuscrit
chinois, les animaux ne
sont pas symboliques
à proprement parler,
ils sont au cœur d'une
énigme au sens latent.**

ŒUVRES CLÉS

Peinture rupestre d'un mégacéros, v. 16000-
14000 av. J.-C., Lascaux

Pisanello, *La Vision de saint Eustache*, v. 1438-1442,
Londres, National Gallery

Titien, *La Mort d'Actéon*, v. 1559-1575,
Londres, National Gallery

Frida Kahlo, *Le Cerf blessé*, 1946, Houston,
Carolyn Farb Collection

LE CHIEN

Notre attitude envers le chien reflète celle, plus ancienne,
des Grecs et des Romains. Chez eux, comme de nos jours,
les chiens étaient hautement prisés, mais d'une façon bien
particulière au regard des autres animaux cités dans cet ouvrage :
ils étaient considérés comme des biens domestiques. Aussi
figurent-ils dans les arts comme des animaux de compagnie,
fidèles et chéris, protégeant les biens de leurs maîtres et faisant
d'excellents compagnons de chasse en vertu de leur flair et
de leur acuité. On est loin du mépris manifesté par les Grecs pour
les **chats**, qu'ils ne domestiquent ni ne considèrent dans l'ensemble
comme dignes d'estime. Les divers chasseurs mythologiques
ont leur meute, tels Orion ou Artémis/Diane. Les chiens se voient
attribuer une intelligence particulière qui leur vaut les louanges
de Platon ; ils passent pour être dotés d'empathie et de loyauté,
susceptibles de montrer des traits humains. De nombreux
possesseurs de chiens, parmi lesquels Ulysse, le héros d'Homère,
nomment leurs compagnons à quatre pattes.

Le chien est volontiers associé à la magie et à la guérison,
car il passe pour cautériser les plaies en les léchant. Asclépios, dieu
grec de la médecine, est parfois représenté avec un compagnon
canin. On pense aussi qu'un chien fidèle rejoint son maître après
la mort : il est attesté qu'en Grèce certains chiens ont été ensevelis
auprès de leurs maîtres dès l'âge de fer. Des sculptures funéraires
datant de la période hellénistique tardive comportent parfois
ces chiens bien-aimés ; dans la mythologie gréco-romaine,
le gardien des Enfers est un chien à trois têtes nommé Cerbère.
Ces croyances découlent de religions antérieures, propres
au Moyen-Orient : Gula, la déesse babylonienne de la guérison,
était parfois représentée sous la forme d'un chien, ou avec
un compagnon canin. Les zoroastriens, eux, préfigurent la croyance
grecque selon laquelle le chien suit son maître dans l'au-delà.
En Égypte, le dieu Anubis à tête de chien garde et juge
les âmes mortes.

Paul Véronèse
L'Heureuse Union,
de la série des
« Allégories de
l'Amour », v. 1575
Huile sur toile,
187,4 × 186,7 cm
Londres, National
Gallery

Dans la zone inférieure
droite, un *putto*
commence à fixer
une chaîne d'or (le
mariage) autour du
couple, escorté d'un
chien gracieusement
cambré en arrière.
Comme souvent
dans les portraits de
couple, ce chien est
un symbole de loyauté
conjugale.

Pour autant, notons que les chiens n'ont pas toujours eu des connotations positives : certains philosophes comme Aristote voient en eux des parias et des réprouvés. C'était une opinion répandue au Moyen-Orient, que reflète le jugement des textes bibliques sur les chiens, généralement négatif.

Dans l'Apocalypse (22, 15), ils sont regroupés avec les impurs et les ignorants : « Dehors, les chiens, les sorciers, les impurs, les assassins, les idolâtres, et tous ceux qui aiment faire le mal. » Les chiens peuvent donc symboliser le mode de vie le plus noble ou le plus ignoble.

L'Heureuse Union de Véronèse – sans doute peinte à Venise vers 1575 – donne une image plus positive du chien, emblème de loyauté. Ce tableau s'inscrit dans un cycle désormais titré les « Allégories de l'Amour », censé montrer quatre facettes d'une idylle : *L'Infidélité*, *Le Mépris*, *Le Respect* et *L'Heureuse Union*. Chacune emprunte son iconographie aux livres d'emblèmes (*emblemata*) de la Renaissance. Dans celui publié en 1531 par Andrea Alciato, la « fidélité de l'épouse » a pour emblème un chiot aux pieds du couple, en écho à l'interprétation gréco-romaine du chien comme symbole de fidélité. Véronèse a visiblement consulté un livre d'emblèmes tandis qu'il peignait *L'Heureuse Union*, qui comprend toute une panoplie de motifs allégoriques. L'idéal du mariage y apparaît comme un pacte prometteur, qui ennoblit les époux : la figure de Fortunata (la bonne fortune) préside au rituel, assise sur une sphère représentant le monde, près d'une corne d'abondance. Elle **couronne** de myrte (porte-bonheur) ces époux amoureux et leur a donné une branche d'olivier signifiant la concorde. Pour Véronèse, qui cherche autant à observer et à dépeindre la vie réelle qu'à se forger une iconographie abstraite, le chien est plus qu'un emblème : il se comporte comme un véritable chien. Il fixe du regard la vénérable branche d'olivier comme s'il attendait qu'on la lance au loin pour qu'il la rapporte.

ŒUVRES CLÉS

Chien mécanique (Égypte), v. 1390-1353 av. J.-C., New York, The Metropolitan Museum of Art

Piero di Cosimo, *Satyre pleurant une nymphe*, v. 1495, Londres, National Gallery

Xolotl (aztèque), extrait du *Codex Borgia* (p. 65), v. 1500, Cité du Vatican, collections du Vatican

Antoine Van Dyck, *Les Cinq Enfants de Charles Ier*, 1637, Royaume-Uni, Royal Collection

Artiste inconnu
Cave Canem [Prenez
garde au chien],
Iᵉʳ siècle av. J.-C.
Mosaïque, 70 × 70 cm
Naples, Musée
archéologique national

Si toutes les sociétés
n'apprécient pas
le chien, les Romains
le traitent
en compagnon,
membre de la famille
et gardien du foyer.
Cette mosaïque
pavait une entrée
de la maison d'Orphée
à Pompéi.

LES POISSONS

Dans les religions anciennes de la Mésopotamie et de l'Égypte, le poisson, comme l'**eau** et les **coquillages**, symbolise fertilité et régénération. Il abonde dans le Nouveau Testament, notamment dans la célèbre parabole des pains et des poissons ; il est aussi associé au cérémonial du baptême, seconde naissance spirituelle. Le symbole Ichthus en forme de poisson est devenu un signe de reconnaissance entre chrétiens.

Un récit de catastrophe insolite, illustré dans *Jonas et la baleine*, fait ce lien entre le poisson et la renaissance. Il figure dans la Torah juive, dans l'Ancien Testament chrétien et dans le Coran. Jonas est avalé par un poisson géant (une « baleine » dans certaines traductions) après avoir rejeté un commandement divin. Pendant trois jours et trois nuits il survit à l'intérieur du poisson, avant que Dieu entende sa prière implorant le pardon. Le poisson vomit alors Jonas sur une rive proche. Cet épisode est en général perçu comme un récit de rédemption, de régénération spirituelle : Jonas apprend à devenir le fidèle serviteur de Dieu. Sur ses bras, les mots « LE DISQUE SOLAIRE ENGLOUTI PAR LES TÉNÈBRES, JONAS ENGLOUTI PAR UN POISSON » sont imprimés à la façon d'un tatouage. Pour cette illustration détaillée, l'artiste s'est sans doute inspiré du *Jami al-tawarikh*, une « histoire universelle » rédigée par Rashid al-Din Hamadani, un érudit à la cour de l'Ilkhanat, à Tabriz (de nos jours en Iran).

Artiste inconnu
Jonas et la baleine,
folio extrait du *Jami
al-tawarikh* (recueil
de chroniques), v. 1400
Encre, aquarelle
opaque et or,
33,7 × 49,5 cm
New York,
The Metropolitan
Museum of Art

**Sur cette image, Jonas
reçoit avec gratitude
les vêtements que
lui remet un ange
descendu des cieux.**

Cela étant, ses choix stylistiques témoignent d'influences étrangères. Le poisson de Jonas ressemble à une carpe, emblème populaire en Chine (qui l'associe à la richesse et à la persistance), tout comme les **dragons** et les **phénix** qui se répandent dans l'art perse à la même époque. Les voies navigables parcourant l'Eurasie ne servent pas seulement aux échanges de marchandises : elles acheminent aussi le langage des symboles.

ŒUVRES CLÉS

Sceau du scribe Adda, roche verte, 2300 av J.-C., Londres, British Museum

Masaccio, *Le Paiement du tribut*, v. 1424-1427, Florence,
Santa Maria del Carmine, chapelle Brancacci

Diego Vélasquez, *Le Christ dans la maison de Martha et Marie*,
sans doute 1618, Londres, National Gallery

Gong Gu, *Carpe* (Chine), XIXᵉ siècle, New York, The Metropolitan Museum of Art

LE LION

Parmi les nombreux usages symboliques du lion au cours de l'histoire, le plus répandu l'assimile à un gardien et à un symbole d'autorité. Des lions sculptés se dressent à l'entrée des temples en Mésopotamie et en Égypte ; dans l'Empire assyrien, le roi Sardanapale commande de vastes sculptures en relief décrivant son talent à les chasser (voir le relief de *La Chasse aux lions*, p. 140). Les lions sont au cœur de l'iconographie de nombreux cultes, parmi lesquels le mithraïsme, une religion ancestrale ; ils figurent souvent dans l'hindouisme comme des animaux vengeurs. La Bible les mentionne fréquemment et les associe à de nombreux saints, dont l'évangéliste Marc. Ils deviennent un motif clé dans l'art visuel bouddhiste (voir le *Chapiteau aux lions* du pilier d'Ashoka). Quand cette religion se propage au cours du Iᵉʳ millénaire, le motif du lion pénètre en Orient et colore l'iconographie chinoise, avant de se disséminer, sous une forme toujours plus stylisée, dans le reste de l'Asie orientale.

Le *Chapiteau aux lions* d'Ashoka est originaire de Sarnath (Inde), un parc à **cerfs** où Bouddha aurait prononcé son premier sermon. C'est là qu'il proclame les Quatre Nobles Vérités découvertes au cours de sa méditation : elles portent sur la souffrance, son origine, son terme, et le chemin qui mène à ce terme. Ce chapiteau couronnait jadis un pilier installé par Ashoka, empereur indien converti au bouddhisme. Il participe de l'identité nationale indienne.

Les quatre lions sont censés exprimer courage et puissance : ils symbolisent Bouddha, et sont peut-être aussi l'emblème d'Ashoka. Ils surmontent d'autres symboles : quatre animaux (Lion, Bœuf, Éléphant et **Cheval**) faisant tourner les *dharmachakras*, ou roues du *dharma*. À la base du chapiteau figure une fleur de **lotus**. Ce chapiteau est devenu le symbole national de l'Inde en 1950 : la roue à vingt-quatre rayons – le *dharmachakra* – est désormais au centre du drapeau indien.

Artiste inconnu
Chapiteau aux lions, pilier d'Ashoka à Sarnath (Inde), v. 250 av. J.-C.
Grès poli, 210 × 283 cm
Sarnath, près de Varanasi, Musée archéologique

Les gueules des lions, grandes ouvertes, signalent que les Quatre Nobles Vérités de Bouddha sont proclamées en direction des quatre points cardinaux.

ŒUVRES CLÉS

Ren Keli, *Le Lion et son gardien* (Chine), 1400-1500, Londres, British Museum
Albrecht Dürer, *Saint Jérôme*, v. 1496, Londres, National Gallery
Titien, *Allégorie de la Prudence*, v. 1550, Londres, National Gallery
Henri Rousseau, *Le Repas du lion*, v. 1907, New York, The Metropolitan Museum of Art

LE SINGE

Dans d'innombrables cultures, entre autres japonaise, aztèque et chinoise, le singe est un fripon symbole de malice. Si Hanuman, dieu des singes, est un membre estimé du panthéon hindou, l'art occidental montre cette espèce sous un jour essentiellement négatif. Le singe incarne le simulacre, la vanité et la luxure. Pour exemple, la scène centrale de la *Frise Beethoven* réalisée par Gustav Klimt, où un singe emblématise les vices les plus bas et les plus dépravés.

La frise tout entière se veut un hommage à la plus grande réussite humaine : la musique du compositeur Ludwig van Beethoven. Récapitulatif visuel de ses compositions, elle s'inscrit dans un *Gesamtkunstwerk* – une « œuvre d'art totale » – censée conjuguer architecture, musique, peinture et sculpture en une synthèse, une expérience unifiée. Cette frise exploite des motifs glanés dans le folklore et la mythologie classique pour dépeindre un récit allégorique : le périple humain de la souffrance à l'éveil

Gustav Klimt
Frise Beethoven,
1901-1902
Or, graphite et peinture
à la caséine,
2,15 × 3,4 m
Vienne, palais
de la Sécession

**Sur cette fresque
de Klimt, le singe
symbolise les désirs
sombres et vicieux
de l'âme humaine.**

spirituel, sous la protection d'un chevalier errant. Quand l'œuvre est dévoilée à Vienne en 1902, les visiteurs peuvent acheter un catalogue glosant tous les symboles inclus dans cette peinture. La scène centrale, montrant divers instincts humains de basse catégorie qu'il importe de surmonter par la noblesse d'esprit, se déchiffre ainsi :

> « Sur le mur étroit : les puissances hostiles ; le géant Typhon auquel les dieux mêmes s'opposèrent en vain ; ses filles, les trois Gorgones ; la Maladie, la Folie et la Mort. Puis la Volupté, l'Impudicité et l'Intempérance, et plus loin le Souci dévorant. Les désirs et les aspirations humaines les survolent.
> « Typhon est dépeint comme un singe géant. Il a à sa droite les Gorgones, la Mort, la Maladie et la Folie, les autres figures à sa gauche. »

Typhon est un monstre issu de la mythologie gréco-romaine, généralement dépeint comme un **serpent**. Si Klimt a choisi d'en donner une version simiesque, c'est peut-être en réponse aux théories de Darwin sur l'évolution, parues dans *De l'origine des espèces* en 1859. Elles lui ont fait comprendre que la frontière entre l'humain et l'animal ne peut plus être tenue pour claire et absolue.

African Adventure est une commande, à l'origine une installation *in situ* pour un ancien mess des officiers britannique situé à Cape Town, qui emprunte son titre à une agence de voyages sud-africaine. Cette œuvre de Jane Alexander invite à un séjour de vacances perverti, soit une réflexion sur l'identité sud-africaine. Elle ne s'aligne pas sur l'iconographie traditionnelle de l'animal dans l'histoire de l'art ; elle use d'un langage visuel déstabilisant pour refléter le chaos éthique et la brutalité qui ont marqué l'histoire coloniale de l'Afrique du Sud et l'Apartheid.

ŒUVRES CLÉS

Hanuman en conversation (Inde), XIᵉ siècle, New York, The Metropolitan Museum of Art

Paul Véronèse, *La Famille de Darius aux pieds d'Alexandre*, 1565-1567, Londres, National Gallery

Frida Kahlo, *Autoportrait au singe*, 1938, Buffalo, galerie Albright–Knox

Guerrilla Girls, *Do Women have to be Naked to get into the Met. Museum?* [Les femmes doivent-elles être nues pour entrer au Metropolitan Museum ?], 1989, Londres, Tate Gallery, affiches conservées dans les collections internationales

Jane Alexander
African Adventure,
1999-2002
Techniques mixtes
et sable de brousse,
env. 400 × 900 cm
Londres, Tate Gallery

Ce monde à l'envers
est peuplé de mutants,
dont certains ont été
baptisés par l'artiste.
Le principal, sinistre
et agressif, a une tête
de singe et se nomme
« Harbinger »
[le Précurseur].

LE SERPENT

Parmi les symboles présentés dans ce livre, beaucoup voient leur signification varier selon le contexte : un motif peut revêtir un aspect donné dans une culture et son contraire dans une autre. C'est ce qu'illustre brillamment l'image du serpent dans la culture visuelle globale. Selon les lieux et les époques, le serpent a symbolisé tour à tour l'éternité, les Enfers, la divination, la mort, la régénération, le péché, la fécondité, la protection, la royauté, la divinité et le diable.

Le *Serpent à deux têtes* conservé au British Museum figure probablement le dieu-serpent aztèque nommé Quetzalcóatl. Dans cette culture, le serpent est objet de fascination. Sa mue périodique lui vaut d'être associé au renouveau et à la fertilité ; son aptitude à vivre sur terre et dans l'**eau** connote une puissance mystique que n'arrête aucune frontière. Son statut hybride procède de la croyance que Quetzalcóatl possède aussi des traits aviaires qui le rattachent au ciel : peintres et sculpteurs le montrent dès lors comme un serpent à plumes.

Dans le christianisme, le serpent est d'abord l'esprit tentateur qui convainc Ève de manger le fruit de la connaissance dans le jardin d'Éden : il symbolise Satan et le péché. Une publicité de 1900 pour le sanatorium du docteur Abreu, à Barcelone, mise sur cette image pour attirer les victimes de la syphilis, un mal alors endémique et incurable en Europe. Sur cette affiche, la femme fatale – une allégorie point trop subtile pour la maladie sexuellement transmissible – tend un **lis**, emblème de pureté, mais cache un serpent derrière son châle effiloché. Même le lettrage qui la surmonte est serpentin.

Artiste inconnu
Serpent à deux têtes (Mexique), v. le xve-xvie siècle
Bois de cedrela, turquoise, résine de pin, coquille d'huître, hématite et copal, 20,5 × 43,3 × 6,5 cm
Londres, British Museum

Ces minuscules éclats de turquoise, taillés en biseau et disposés en mosaïque, ont été polis pour évoquer l'azur du ciel et l'aspect des écailles. Il est possible que cet objet ait été porté à la façon d'un pectoral par un chef ou un prêtre.

Ramon Casas
Publicité pour
le sanatorium
pour syphilitiques
du Dr Abreu à
Barcelone, v. 1900
Lithographie
en couleur,
66,3 × 28,2 cm
Londres, Wellcome
Collection

**Symbole du mal,
le serpent abonde
dans l'art chrétien.
Ici, cette association
de rigueur est replacée
dans un autre contexte :
le serpent évoque
la malveillance d'une
maladie sexuellement
transmissible.**

LE CHEVAL

On considère que les premiers chevaux domestiqués l'ont été dans les steppes d'Ukraine et du Kazakhstan, entre 4500 et 3500 av. J.-C. Une fois maîtrisée, l'équitation a révolutionné la cadence des déplacements humains, la conduite des troupeaux, le transport des biens, la chasse et le combat. Cela explique sans doute le prestige du cheval et son potentiel symbolique dans le domaine de l'art. Des étalons semi-divins figurent dans le *Rigveda* (recueil indien datant d'environ 1500 av. J.-C. et compilant les mythes religieux les plus anciens), et les chevaux sont vénérés par la suite dans de nombreuses mythologies, entre autres celte, nordique et gréco-romaine. Depuis, on les associe à la reconnaissance sociale, à la valeur militaire et au triomphe sportif.

En 1800, Napoléon Bonaparte, Premier consul de France, fait traverser les Alpes à son armée pour affronter l'armée autrichienne à la bataille de Marengo. Un an plus tard, Jacques Louis David célèbre la victoire des Français et l'autorité militaire de Napoléon dans un portrait à grande échelle. Il ne l'a pas tout à fait conçu seul, car Napoléon a souhaité être peint « calme sur un cheval fougueux », menant ses troupes à leur destin glorieux, et non dans l'ardeur de la bataille.

Ce choix d'un portrait équestre revêt un sens symbolique majeur. D'innombrables héros et chefs antiques, tels Alexandre le Grand et Marc Aurèle, ont été dépeints à cheval pour souligner leur maîtrise : le cheval figure une force irrépressible domptée par un commandant inébranlable. Au temps de Napoléon, les pur-sang demeurent des cadeaux diplomatiques de prestige, que s'échangent les dirigeants des nations.

Jacques Louis David
*Napoléon traversant
les Alpes*, 1800-1801
Huile sur toile,
261 × 221 cm
Rueil-Malmaison,
château de Malmaison

Sur ce tableau
de David, l'étalon
de Napoléon déploie
une énergie vibrante,
mais réprimée : il est
entièrement soumis à son
cavalier plein d'aplomb,
qui entraîne ses hommes
dans son ascension vers une
destinée glorieuse.
En réalité, cet épisode
n'a pas eu lieu : si Napoléon
a franchi les Alpes en 1800,
c'était dans l'arrière-garde,
et sur une mule !

En Asie, plus d'un millénaire auparavant, *Blanc-qui-illumine-la-nuit* transmet un message étonnamment similaire, même si le sujet du portrait n'est plus le cavalier mais sa monture. L'empereur Tang Xuanzong (685-762), qui connaîtra le règne le plus long en Chine, prise ses chevaux de bataille. Il les importe du fin fond de l'Arabie et de l'Asie, et son préféré se nomme Blanc-qui-illumine-la-nuit. La supériorité de ces chevaux sur les poneys locaux, plus petits et plus faibles, font d'eux l'emblème du pouvoir de l'élite et des merveilles exotiques affluant des confins du monde grâce au commerce international pratiqué par la Chine. Ils inspirent peintures, sculptures et jusqu'à des poèmes en leur honneur, tous commandités par l'élite chinoise, sous leur charme.

ŒUVRES CLÉS

Attribué à Phidias, *Frise du Parthénon*, 438-432 av. J.-C., Londres, British Museum

Oba à cheval entouré de ses serviteurs, plaque (cour du Bénin, Nigeria), 1550-1680, New York, The Metropolitan Museum of Art

George Stubbs, *Whistlejacket*, v. 1762, Londres, National Gallery

Wassily Kandinsky, *Der blaue Berg* [La Montagne bleue], 1908-1909, New York, The Solomon R. Guggenheim Museum

Han Gan
Blanc-qui-illumine-la-nuit, v. 750 apr. J.-C.
Rouleau, encre sur papier, 30,8 × 34 cm
New York,
The Metropolitan
Museum of Art

Ces chevaux de guerre importés incarnent notamment le principe yang (masculin), comme ils symbolisent le dynamisme latent de la nature. Toute une mythologie s'élabore, qui fait du cheval un dragon travesti suant le sang.

LE DRAGON

En Chine, les dragons sont depuis longtemps un symbole omniprésent. Figurant dans l'art antique, ils acquièrent leur forme reconnaissable (notamment sur la robe de l'empereur, p. 28) vers le Ier siècle avant notre ère. Sans doute ce symbole provient-il d'images créées dans les tribus des steppes avant d'être rapportées en Chine au cours du Ier millénaire avant notre ère. Avec le temps, cette bête mythique est rattachée au ciel, aux **nuages** porteurs de pluie et aux faits surnaturels de bon augure. L'un d'eux apparaît dans les archives chinoises du Ier siècle avant notre ère. Il s'agit d'un épisode lié à la naissance de Gaozu, l'un des empereurs de Chine les plus distingués, fondateur de la dynastie Tang. Sa mère, dit la légende…

« … un jour qu'elle se reposait au bord d'un vaste étang, rêva qu'elle rencontrait un dieu. Au même instant, le ciel s'assombrit et s'emplit de tonnerre et d'éclairs. Quand le père de Gaozu partit à sa recherche, il vit un dragon écailleux à l'endroit où elle était étendue. Après quoi, elle tomba enceinte et donna naissance à Gaozu. »

Les dragons figurent aussi dans la cosmologie chinoise (à ne pas confondre avec la cosmologie bouddhiste, présentée dans le mandala, p. 49). Ses quatre points cardinaux comprennent le Dragon Azur associé à l'est. Au centre (le cinquième point cardinal) se trouve le Dragon Jaune, associé à l'empereur dont il est l'emblème, celui de l'impératrice étant le **phénix**. Le dragon de l'empereur se distingue par le fait qu'il a cinq griffes au lieu de trois ou quatre, comme sur les insignes des courtisans mineurs.

Comme le **cheval**, il représente le yang, l'énergie masculine, souvent au côté d'un phénix (emblème du yin, l'énergie féminine) pour montrer l'équilibre des forces. Les dragons de style chinois, connotant l'autorité et la richesse impériales, finissent par se répandre dans le langage symbolique des territoires avoisinants, parmi lesquels la Corée et le Japon. Sous la dynastie Yuan (1271-1368), les routes commerciales qui acheminent les marchandises

Qasim ibn Ali
Troisième épreuve d'Isfandiyar : il tue un dragon, folio extrait du *Shâh Nâmeh (Livre des rois)* de Shah Tahmasp, v. 1530
Aquarelle opaque, encre, argent et or sur papier,
27,9 × 26,2 cm
New York,
The Metropolitan Museum of Art

Peinte à la cour des Safavides en Iran, cette image comporte un dragon qui atteste l'influence du style chinois, quoiqu'il soit dépourvu de la bienveillance qui caractérise les dragons orientaux.

entre la Chine et le reste de l'Asie sont consolidées. Dès lors, la culture visuelle de la Perse incorpore des motifs chinois, comme l'atteste *Jonas et la baleine* (p. 93) et la *Troisième épreuve d'Isfandiyar : il tue un dragon*, épisode emprunté à l'épopée perse du *Shâh Nâmeh*. On y trouve le troisième des sept défis qui attendent le prince Isfandiyar : tuer un dragon malveillant, qu'il affronte tapi dans une boîte arrimée à un char. Le dragon et ses crocs, vibrant d'énergie yang, ont pu être influencés par des modèles peints sur la porcelaine ou les rouleaux de Chine. Toutefois, il a changé de camp : dans le *Shâh Nâmeh*, c'est un symbole du mal.

Dans l'imagerie chrétienne, le dragon (comme le **serpent**) est aussi symbole du péché, voire de Satan lui-même. Il est souvent exterminé par saint Georges ou l'**archange** saint Michel dans des scènes allégoriques où le mal se soumet à la vertu, peut-être à la suite d'un mythe gréco-romain : Persée, qui tuait déjà un dragon, a pu influencer les saints chrétiens.

Le Grand Dragon rouge et la Femme vêtue de soleil de William Blake est une scène empruntée à l'Apocalypse, et dont l'originalité tient à ce qu'elle nous montre le point de vue du dragon. Le monstre de Blake doit beaucoup à l'imagerie médiévale européenne (bien que l'artiste greffe ce dragon à un torse musclé, inspiré de Michel-Ange), où le dragon est avant tout un démon ailé et cornu, comme dans le *Saint Michel triomphant du Mal* de Bartolomé Bermejo (p. 153).

William Blake
Le Grand Dragon rouge et la Femme vêtue de soleil (Ap 12, 1-4), v. 1803-1805
Encre noire et aquarelle sur traces de graphite et lignes incisées, 43,7 × 34,8 cm
New York, Brooklyn Museum of Art

Cette toile montre à quel point Blake enfreint les canons de son époque, où les artistes évitent en général de représenter les bizarreries de l'Apocalypse de saint Jean (ce que fait Blake) : ils préfèrent montrer le saint occupé à écrire son livre.

ŒUVRES CLÉS

Paolo Uccello, *Saint Georges et le dragon*, v. 1470, Londres, National Gallery

Salomon sur son trône, entouré de sa cour (Islam), fin du XVIIIᵉ siècle, Londres, British Museum

Utagawa Kuniyoshi, *Tamatori fuyant le palais du roi-dragon* (Japon), milieu du XIXᵉ siècle, Londres, British Museum

Sir Edward Burne-Jones, *L'Accomplissement de la destinée*, 1888, Southampton, Southampton City Art Gallery

LES CORPS

-

**Nous sommes des symboles
et nous incorporons des symboles.**

-

Ralph Waldo Emerson

1844

LE SQUELETTE

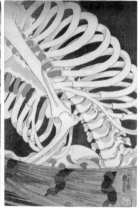

Il semblerait qu'en 1844 Utagawa Kuniyoshi ait assisté à un spectacle de kabuki contant l'épisode de *Mitsukuni défiant le spectre squelette,* tiré d'un roman japonais paru en 1807, et dont voici la trame : en l'an 939, face à une conspiration, l'empereur du Japon ordonne à un guerrier du nom d'Ōya no Mitsukuni de traquer et d'exécuter les derniers rebelles. Mitsukuni se rend au palais de Sōma où s'est réfugiée la fille de leur chef, la princesse Takiyasha. Or il ignore qu'elle a appris la magie avec un ermite de la contrée. Lisant à voix haute un sortilège sur un ancien rouleau, elle convoque les spectres des rebelles et les fond en un squelette géant. Celui-ci affronte l'intrépide Mitsukuni, qui sort victorieux du combat.

Si le squelette nous apparaît comme l'emblème intemporel, universel, de la mortalité et du macabre, il est rare qu'il figure au complet dans la culture visuelle japonaise avant le XVIIIe siècle. C'est alors que les marchands hollandais introduisent au Japon des traités de médecine européens abondamment illustrés, notamment sur l'anatomie des cadavres.

Le squelette hante de plus longue date l'imagerie indienne. En Europe, il faut attendre la fin du Moyen Âge pour que la mort prenne figure, surtout dans les « danses macabres »

Utagawa Kuniyoshi
Mitsukuni défiant le spectre squelette,
v. 1845
Estampe en couleur, impression triptyque sur papier,
35,9 × 74,2 cm
San Francisco, musée des Beaux-Arts de San Francisco

Sur cette estampe japonaise d'Utagawa Kuniyoshi, le squelette remplit sa fonction de rigueur : annoncer le trépas. Le dessin, exact et détaillé, est peut-être inspiré de planches anatomiques dénichées dans les traités de médecine européens.

où les squelettes batifolent avec les vivants qu'ils entraînent vers la tombe. Au Mexique, ils règnent sur les festivités du jour des Morts, où les âmes des défunts sont censées se mêler aux vivants.

Ce que l'eau m'a donné, toile de l'artiste mexicaine Frida Kahlo, montre un squelette solitaire assis près d'un volcan, sur une petite île flottant à un bout de la baignoire de l'artiste. Elle y côtoie une foule d'insectes, de plantes, de personnages et d'animaux. Ce squelette est sans doute un clin d'œil au jour des Morts et à l'imagerie populaire de José Guadalupe Posada. Mais il évoque aussi les dieux et déesses ancestraux du Mexique qui prennent la forme d'un squelette, tels Mictlantecuhtli et Itzpapalotl, ou la Santa Muerte du folklore catholique. Dans l'iconographie mexicaine, le squelette intime, mais, s'il symbolise la destruction, c'est d'abord une force positive : la vie, suggère-t-il, ne serait rien sans l'énergie purgative de la mort.

Frida Kahlo
Ce que l'eau m'a donné,
1938
Huile sur toile,
91 × 70 cm
Paris, collection
de Daniel Filipacchi

Le squelette hante l'œuvre de Frida Kahlo comme l'emblème du Mexique. Il côtoie d'autres motifs, dont certains sont glanés dans la culture aztèque ; d'autres, nombreux, ont des résonances plus intimes : ils vont du bestiaire et des plantes jusqu'au sang. Ils renvoient au vécu personnel de l'artiste, à son rapport à la féminité, à la culture et à la politique.

ŒUVRES CLÉS

Hieronymus Bosch, *La Mort et l'Avare*, v. 1485-1490,
Washington, National Gallery of Art

Hans Holbein le Jeune, *La Danse macabre*, 1523-1525,
Amsterdam, Rijksmuseum

José Guadalupe Posada, *Calavera [Squelette] d'un
soldat originaire d'Oaxaca*, 1903, journal,
Mexico, collection A.V. Arroyo

Paul Delvaux, *Vénus endormie*, 1944, Londres, Tate Gallery

LE CRÂNE

Du crucifix, tapi dans le coin supérieur gauche, à la corde cassée du luth jaune, *Les Ambassadeurs* de Hans Holbein le Jeune offrent une richesse exceptionnelle de motifs symboliques. Rien n'explique cette recrudescence de détails énigmatiques, éveillant une foule de questions sans réponses sur cette commande et le rapport qui liait les deux modèles. Peut-être Jean de Dinteville (debout à gauche), commanditaire du portrait, s'est-il entendu avec son ami Georges de Selve (à droite) comme avec Holbein pour multiplier les symboles de leurs poursuites intellectuelles au point d'en assaillir le spectateur ? Le plus célèbre reste bien sûr la forme oblongue au bas du tableau : un crâne humain, rendu en perspective anamorphique, et qui demande à être perçu depuis le côté droit, en suivant un angle descendant oblique.

Holbein avait déjà inclus **crânes** et **squelettes** dans un cycle de quarante et une gravures teintées d'humour noir : *La Danse macabre*, où les squelettes malveillants présagent une mort qui dévore ses proies sans considération pour leur rang social, des empereurs et des moines aux paysans. Dans *Les Ambassadeurs*,

Hans Holbein le Jeune
Les Ambassadeurs, 1533
Huile sur chêne,
207 × 209,5 cm
Londres,
National Gallery

Holbein peint son crâne en perspective anamorphique pour aboutir à deux effets, l'un optique (le trompe-l'œil), l'autre philosophique. Il fait voir la mort comme une réalité insaisissable, sous-jacente à la vie : l'une et l'autre échappent à qui s'efforce de les appréhender ensemble.

le symbolisme est moins flagrant ; le crâne est un *memento mori*, rappelant le caractère omniprésent de la mort et la brièveté de la vie.

L'usage que fait ici Holbein du crâne évoque généralement l'art chrétien et la nature morte en Europe : le crâne invite à méditer sur la mortalité. C'est l'attribut de figures pieuses contemplatives comme celles de saint François d'Assise et de Marie-Madeleine. Dans l'art religieux tibétain, bouddhiste et hindou, le crâne acquiert une fonction plus âpre : il fait partie des insignes distinguant les divinités, qui s'en servent parfois comme coupes pour boire le sang.

Artiste inconnu
Chamunda, la terrible tueuse de démons (Inde), X^e-XIe siècle
Grès, H 113 cm
New York,
The Metropolitan Museum of Art

Chamunda est l'incarnation vengeresse de la déesse hindoue Durga qui, malgré les apparences, est une divinité maternelle et protectrice. Elle arbore une tiare ornée de crânes et d'un croissant de lune. Les sculptures de cette sorte étaient destinées aux façades des temples, non pour terrifier les fidèles, mais pour restaurer l'harmonie en refoulant les démons.

ŒUVRES CLÉS

Mosaïque au crâne et au fil à plomb, triclinium estival de la maison 1, 5, 2 à Pompéi, Ier siècle apr. J.-C., Naples, Musée national archéologique

Frans Hals, *Jeune homme tenant un crâne (Vanité)*, 1626-1628, Londres, National Gallery

Georgia O'Keeffe, *Crâne de vache : rouge, bleu et blanc*, 1931, New York, The Metropolitan Museum of Art

Damien Hirst, *For the Love of God* [Pour l'amour de Dieu], 2007, collection particulière

LE PIED

Le motif du pied revêt des significations divergentes en Orient et en Occident. Dans l'art hindou et bouddhiste, l'empreinte de pied est une relique, l'indice qu'une divinité s'est manifestée en prenant contact avec le sol. Dans le christianisme, le pied nu indique généralement l'humilité, vertu des pauvres.

Les *Empreintes de pied du Bouddha (Buddhapada)* relèvent d'une technique ancestrale, héritée du culte hindou, qui consiste à ériger un lieu de culte sur ces empreintes. Désignant aux fidèles un endroit où Bouddha aurait marché, elles leur font éprouver son absence/présence.

Dans le Nouveau Testament, Jésus lave les pieds de ses disciples, geste par lequel il exprime sa charité et son humilité. Commentant l'épisode, Niccolo Lorini del Monte, un érudit italien du XVIIe siècle, écrit en 1617 : « pour la Sainte Église, les pieds sont le symbole des pauvres et des humbles, [...] le dernier et le plus modeste des membres humains. De même, humbles et pauvres viennent en dernier, et siègent tout au fond de l'église ».

Artiste inconnu
Empreintes de pied du Bouddha (Buddhapada), IIe siècle apr. J.-C.
Schiste,
86,36 × 125,1 × 6,35 cm
Yale, galerie d'art de l'université de Yale

Dans cette œuvre, chaque pied comporte deux *dharmachakras* (avec au centre un lotus), le symbole des « trois joyaux » (*triratna*), et, sur les orteils, des svastikas et des motifs de trident. On retrouve ce type d'empreintes au Sri Lanka, en Thaïlande, en Chine et au Japon.

Le Caravage
La Madone des pèlerins,
1604-1606
Huile sur toile,
260 × 150 cm
Rome, église
Sant'Agostino

Les pieds nus attestent un réalisme sans concession, tributaire du langage religieux, qui marque un tournant radical au début du XVIIᵉ siècle. Glorifiant les pauvres, cette provocation réaliste entend inciter les riches à remplir leur devoir de charité envers les démunis.

Peu de temps auparavant, le Caravage a peint à Rome sa *Madone des pèlerins* : deux pèlerins à qui la Vierge apparaît en vision. Il fait de leurs pieds abîmés un point focal, obligeant le spectateur à contempler les responsabilités de l'Église envers les couches sociales défavorisées.

ŒUVRES CLÉS

Lo Spinario, Iᵉʳ siècle av. J.-C., Rome, musées du Capitole, palais des Conservateurs

Andrea Mantegna, *Le Christ mort*, v. 1480-1500, Milan, Pinacoteca di Brera

Bouddha incliné, 1832, Bangkok, Wat Pho

Ford Madox Brown, *Jésus lavant les pieds de Pierre*, 1852-1856, Londres, Tate Gallery

LA POSTURE

Dans l'art occidental, les postures du corps humain sont en général
très significatives. Cela étant, l'ample variété des gestes dont est
capable la personne humaine et l'éventail d'interprétations auquel
ils se prêtent, selon leur ancrage socioculturel, font qu'on hésite souvent
à leur assigner un sens particulier. En Asie du Sud-Est, au contraire,
les pratiques religieuses – art, danse, méditation – ont amené à codifier
des postures expressives qu'on appelle *asanas*. Incorporées à la discipline
du yoga, elles sont censées parfaire l'expérience religieuse en créant
une réceptivité propice à la méditation.

Voici un exemple pris dans ce canon de postures, gestes
et expressions faciales, le *Rajalilasana* ou « délassement royal » :
le sujet croise les jambes, un genou relevé pour être plus à l'aise,

Artiste inconnu
*Le Bodhisattva
Avalokiteshvara
assis en posture
de délassement royal*
(Cambodge),
Xᵉ-XIᵉ siècle
Alliage de cuivre avec
incrustation d'argent,
57,8 × 45,7 × 30,5 cm
New York,
The Metropolitan
Museum of Art

**Cette figure
n'a pas la rigidité
qui caractérise les
sculptures religieuses,
et que l'on trouve
notamment dans
la posture du lotus
(les jambes croisées
à plat) réservée au
Bouddha. Elle paraît
animée, à l'écoute de
son environnement et
des mortels auxquels
elle s'adresse.**

comme le démontre le *Bodhisattva Avalokiteshvara*. Cette sculpture provient de l'Empire khmer, qui englobait le Cambodge ainsi que des parties du Viêtnam et de la Thaïlande entre les XIᵉ et XVᵉ siècles. Elle présente le bodhisattva de compassion et de merci dans un style particulièrement sinueux et serein. Autrefois, des incrustations de verre noir étaient fixées à l'emplacement de la moustache, des yeux et des sourcils, conférant à ce visage un éclat chatoyant pour en rehausser l'autorité bénigne. Mais ce qui frappait alors le plus son public, au plan symbolique, c'était sans doute sa posture. D'origine royale, elle rappelle que la monarchie est d'essence divine dans la culture khmère : peut-être l'œuvre figure-t-elle un dirigeant khmer particulier, en qui s'incarne la grâce d'un bodhisattva. Parmi les autres postures dites *asanas*, on peut citer :

Celle du lotus (*Padmasana* – assis les jambes en croix, les plantes du **pied** tournées vers le haut).
Celle de la détente (*Lalitasana* – pareille à la précédente, mais en laissant pendre une jambe).

L'art européen laisse aussi déceler certaines postures caractéristiques. Le *contrapposto* est une posture frontale, une jambe fléchie pour faire subir une pression à l'un des côtés (on la trouve chez Mercure dans *Le Printemps* de Botticelli, p. 18-19). L'*adlocutio* consiste à tendre le bras, tel un commandant haranguant ses troupes (voir le tableau de David, *Napoléon traversant les Alpes*, p. 103).

L'œuvre de Grayson Perry, *L'Adoration des combattants du ring*, fait partie d'une série de tapisseries archivant l'odyssée de Tim, citoyen imaginaire du XXIᵉ siècle, dans le système de classes britannique. Chacune d'elles parodie un thème emprunté à l'histoire de l'art : elle adopte, pour les adapter, postures, symboles et compositions de précurseurs faciles à identifier dans le canon occidental. Ici, Perry parodie ouvertement la peinture religieuse illustrée par *L'Adoration des bergers* d'Andrea Mantegna (v. 1450). Deux lutteurs spécialistes des arts martiaux font une génuflexion, posture exprimant la vénération religieuse. Ils s'agenouillent devant la mère de Tim, figure désintéressée, et lui offrent des présents rattachés à leur ville natale, Sunderland, dans le nord-est de l'Angleterre : un maillot de foot premier âge, aux couleurs de leur équipe, et une lampe de mineur.

Grayson Perry
L'Adoration des combattants du ring, 2012
Laine, coton, acrylique, polyester et tapisserie de soie, 200 × 400 cm
Londres, Arts Council Collection

Les symboles prolifèrent dans cette tapisserie, en écho à la multiplicité des identités sociales stratifiées dans l'Angleterre contemporaine.
Si beaucoup ont trait à la culture populaire, Perry s'inspire pour sa composition d'un retable de la Renaissance, attestant l'influence durable de certains symboles et certaines postures historiques.

ŒUVRES CLÉS

Contrapposto : Michel-Ange, *David*, 1501-1504, Florence, galerie de l'Académie

Adlocutio : *Auguste de Primaporta*, Iᵉʳ siècle, Cité du Vatican, musées du Vatican

Padmasana : *Bouddha Amitabha assis (Amida Nyorai)*, v. 794-1185, San Francisco, musée d'Art asiatique

Lalitasana : *Vishnou sur son trône*, seconde moitié du VIIIᵉ siècle-début du IXᵉ siècle, New York, The Metropolitan Museum of Art

LES GESTES DES MAINS

Dans les arts hindou et bouddhiste, les gestes des mains (*mudras*) accomplis par une divinité prennent un sens religieux. Comme les **postures** du corps (*asanas*), ils sont codifiés au cours du Iᵉʳ millénaire en Asie, peut-être à partir de la gestuelle associée aux danses rituelles. Un premier exemple de ce langage apparaît dans le *Bouddha debout* du Gandhara. Sa main droite à la verticale, la paume vers l'extérieur, fait le geste dit *abhaya-mudra*, qui exprime la protection divine, dissipant toute peur. Dans les sculptures plus tardives, ce geste a pour pendant le *varada-mudra*, qui consiste à diriger vers le bas les doigts de la main gauche, paume ouverte, pour indiquer que le sujet exauce un vœu. On le trouve sur deux sculptures chinoises du VIᵉ siècle, le *Bouddha Maitreya* (p. 134) et le *Shiva Nataraja* (p. 33). Le *Bouddha Amida* japonais du XIIᵉ siècle est assis dans la position dite *padmasana* en formant de ses deux mains le geste de l'enseignement, dit *vitarka-mudra* : il joint les extrémités du pouce et de l'index, créant un cercle pour évoquer la Roue de la Loi (*dharmachakra*).

Ci-dessus, à gauche : Artiste inconnu
Bouddha debout (Pakistan, ancienne région du Gandhara), v. le IIᵉ siècle apr. J.-C. Schiste, H 119,7 cm Cleveland, Cleveland Museum of Art

Avec ce geste dit *abhaya-mudra*, Bouddha lève la main droite pour octroyer contentement et salut aux fidèles.

Dans l'art européen, on pourrait recenser un nombre incalculable de ces gestes, dont certains se laissent plus facilement interpréter que d'autres. L'un des plus connus est la bénédiction, où seuls le pouce, l'index et le majeur sont étendus pour symboliser la Sainte Trinité (Dieu le Père, Dieu le Fils et le Saint-Esprit). *Un saint évêque* de Riemenschneider représenterait un évêque de Wurtzbourg mort en 754. Sa main, tendue vers le spectateur fidèle, anime avec succès cette figure, tout comme son visage au rendu aussi sensible que naturaliste.

Ci-contre, à droite :
Artiste inconnu
Bouddha Amida
(Japon), v. 1125-v. 1175
Bois, 87 × 71 × 56,5 cm
Amsterdam,
Rijksmuseum

Dans ce geste d'enseignement, dit *vitarka-mudra*, les extrémités du pouce et de l'index se touchent pour symboliser la Roue de la Loi bouddhiste.

ŒUVRES CLÉS

Bouddha assis (Pakistan, ancienne région du Gandhara), entre le Iᵉʳ et le milieu du IIᵉ siècle, New York, The Metropolitan Museum of Art

Bouddha de Sultanganj, v. 500-700, Birmingham, Birmingham Museum and Art Gallery

Bouddha assis expliquant le dharma (Anuradhapura, Sri Lanka), fin du VIIIᵉ siècle, New York, The Metropolitan Museum of Art

Christ Pantocrator, XIIᵉ siècle, mosaïque, Istanbul, église Sainte-Sophie

Tilman Riemenschneider
Un saint évêque (Burchard de Wurtzbourg ?),
v. 1515-1520
Bois de tilleul avec traces de polychromie,
82,3 × 47,2 × 30,2 cm
Washington National Gallery of Art

Dans le culte chrétien, il revient au clergé d'accomplir la bénédiction (en étendant le pouce, l'index et le majeur).

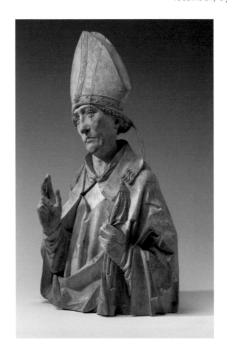

LE SANG

Le sang est symbole de vitalité dans les cultures du monde entier. Les cérémonies qui amènent à verser le sang ou à l'appliquer sur un objet rituel (telles les sculptures votives qu'on oint de sang) relèvent des religions gréco-romaine, mithraïque, hindoue, maya, juive (à ses origines) et vaudoue en Afrique de l'Ouest. Le sang est au cœur des arts et rites maya et aztèque. Pour les Aztèques, les dieux ont versé leur sang pour créer l'humanité, à qui il incombe de payer en espèces cette « dette de sang » avec des sacrifices humains collectifs. Dans la culture occidentale, le sang a des connotations symboliques, liées aux notions de sacrifice et d'identité familiale (la « lignée de sang ») comme d'obligations contractuelles (le serment qu'on « signe de son sang »). Le sang du Christ, l'un des symboles chrétiens les plus puissants, est invoqué pendant le sacrement de l'Eucharistie pour signifier la rédemption. Le sang est souvent dépeint dans les scènes de Crucifixion, parfois ruisselant, parfois recueilli dans un calice par des **anges**.

Self, une œuvre de Marc Quinn, a pour matériau 4,5 litres du sang de l'artiste, collectés en cinq fois, puis coulés et congelés dans un moule en plâtre de son visage. Ce moulage est ensuite préservé dans un caisson en perspex réfrigéré, tel un buste antique qui dépendrait d'un système électrique. L'artiste relève à sa façon le défi qu'ont affronté les portraitistes tout au long de l'histoire : faire sentir la présence du modèle au sein d'un artefact statique et inerte. En utilisant le sang comme signe d'authenticité, de vitalité et de martyre, Quinn se rattache à une tradition symbolique complexe, à la fois artistique et religieuse.

Marc Quinn
Self, 2006
4,5 litres de sang
(celui de l'artiste), acier
inoxydable, caisson
en perspex et système
de réfrigération,
208 × 63 × 63 cm
Collection particulière

Dans cette sculpture
novatrice, l'artiste
et son œuvre ne font
qu'un, puisque Quinn
utilise son propre sang.
L'histoire culturelle
abonde en artistes
s'étant sacrifiés pour
leur art, mais peu l'ont
fait avec une telle
audace.

Sur cette gravure du xixe siècle montrant la déesse Chinnamastā
(ci-contre), le sexe et la mort sont audacieusement subdivisés.
La figure centrale, une version malveillante de la déesse mère Devi,
s'est décapitée elle-même : elle se tient debout sur les corps
de deux autres divinités, Rati et Kâma, qui se livrent au coït
dans une fleur de **lotus**. Chinnamastā figure dans les traditions
tantriques hindoue et bouddhiste ; aussi l'image évoque-t-elle
le yoga kundalini qui consiste, comme ici l'autosacrifice, à relâcher
les énergies corporelles dans trois canaux représentées par
les trois flux **sanguins**. Cette image évoque un éveil spirituel.
Montrer Chinnamastā debout sur un couple en pleins ébats
sexuels, c'est laisser entendre que création et destruction
sont en réalité jumelées.

ŒUVRES CLÉS

Maître de la mort de saint Nicolas de Münster, *Calvaire*, v. 1470/1480,
Washington, National Gallery of Art

Le Caravage, *Judith et Holopherne*, v. 1599, Rome, palais Barberini,
Galerie nationale d'art ancien

Thomas Eakins, *La Clinique du docteur Gross*, 1875,
Philadelphie, Philadelphia Museum of Art

Ravi Varma, *Kali*, 1910-1920, New York, The Metropolitan Museum of Art

लाला शिउ गाविन लाल   चि न्न मस्ता   छिन्नमसीका   कलिकाता

Artiste inconnu
Chinnamastā (Inde),
xixᵉ siècle
Estampe en couleur,
28 × 23 cm
Londres, British
Museum

**L'escorte
de Chinnamastā,
comme sa propre
tête désincarnée,
boit le sang sacrificiel
à mesure qu'il jaillit afin
d'absorber ses pouvoirs
régénérateurs.**

L'ŒIL

Nicolas Poussin
Autoportrait, 1650
Huile sur toile,
98 × 74 cm
Paris, musée du Louvre

**À l'arrière-plan,
la femme et son
partenaire invisible
forment une allégorie
de l'Amitié rencontrant
la Peinture. Cette
dernière est symbolisée
par un œil, puisque la
vue prime chez l'artiste.**

En 1650, le peintre français Nicolas Poussin peint un autoportrait qu'il destine à son mécène, Paul Fréart de Chantelou. Il se donne deux objectifs : récapituler sa philosophie d'artiste, et symboliser son entente intellectuelle avec Chantelou. Pour atteindre son but premier, il revêt la toge noire de l'érudit et pose sur nous un regard grave et ferme. Toutefois, ses yeux ne figurent pas seuls sur la toile. L'un des tableaux entassés derrière le peintre, dans son atelier, montre une femme qui porte un diadème serti d'un œil au centre ; elle fait face à une paire de bras levés pour l'étreindre. Ce détail résume le second objectif de Poussin : indiquer les affinités entre le peintre et son mécène.

Le motif de l'œil unique a une histoire : placé au centre d'un triangle (surmontant une pyramide au verso du billet américain d'un dollar), il représente un œil omniscient, « qui voit tout », celui de Dieu dans l'iconographie chrétienne. Il arrive qu'on représente Bouddha et les bodhisattvas avec, au milieu du front, un troisième œil signalant leur acuité spirituelle. C'est le cas du *Bodhisattva Avalokiteshvara assis en posture de délassement royal* (p. 118).

Plus anciennement, l'œil était un motif clé dans l'iconographie égyptienne. En peignant deux yeux sur un cercueil, on permettait au mort de voir dans l'au-delà. L'œil unique, celui d'Horus, chassait les mauvais esprits : un hybride entre l'organe humain et l'œil du **faucon** lanier, entouré d'un plumage noir formant une « larme » oblique (sur l'association du faucon à Horus, voir p. 77). Dans la mythologie égyptienne, lorsque Horus affronte son oncle Seth pour le trône, ce dernier le blesse à l'œil ; Horus est ensuite guéri par Toth.

ŒUVRES CLÉS

Œil Oudjat en or (Thonis-Héracléion), 332-330 av. J.-C., Alexandrie, Musée national

Tête de Bouddha (sans doute en Afghanistan), 300-400 apr. J.-C., Londres, Victoria and Albert Museum

Francesco del Cossa, *Sainte Lucie*, v. 1473-1474, Washington, National Gallery of Art

René Magritte, *Le Faux Miroir*, 1929, New York, MoMA

Artiste inconnu
Amulette en forme d'œil d'Horus, v. 664-525 av. J.-C.
Faïence,
5 × 6,8 × 0,7 cm
Londres,
British Museum

De petit format, cette amulette peut être portée ou tenue à la main, tel un porte-bonheur. Figurant l'œil d'Horus, elle est censée procurer à qui la possède protection et pouvoir guérisseur.

L'ANGE

L'ange est un intermédiaire céleste entre le ciel et la terre. Il donne lieu à diverses catégories dans les arts religieux mésopotamien, égyptien, gréco-romain, islamique, hindou, bouddhique, juif et chrétien. Au Vᵉ siècle de notre ère, un théologien, le Pseudo-Denys, établit dans sa *Hiérarchie céleste* les subdivisions canoniques du chœur angélique selon les chrétiens. À Florence, Masolino décrit cet ordre rangé dans *L'Assomption de la Vierge*, où les anges forment une nuée retentissante. Si l'on part du cercle qui jouxte la Vierge pour progresser vers l'extérieur, la hiérarchie se décline ainsi :

1. Les Séraphins « ardents », les plus proches de la Vierge. Six créatures ailées au visage rougeoyant, dont on ne voit pas les corps.
2. Les Chérubins « orants », vêtus de bleu, sans corps mais avec quatre ailes.
3. Les Trônes, au sommet, vêtus de bleu. Ici, ils ne portent pas le siège traditionnel, mais une mandorle pareille à celle qui contient la Vierge.
4. Les Dominations tiennent chacune un orbe et un sceptre traditionnellement lumineux.
5. Les Vertus, qui tiennent un parchemin proclamant leur nom.
6. Les Puissances, vêtues d'une armure, l'**épée** et le bouclier à la main pour vaincre le mal.
7. Les Principautés, chacune avec l'oriflamme de la Résurrection : une croix rouge sur fond blanc, dite aussi l'oriflamme de saint Georges, que l'Angleterre adoptera pour drapeau.
8. Les Archanges, principaux « chargés de mission » auprès de l'humanité.
9. Les Anges, qui forment une classe inférieure, intervenant à l'occasion dans les affaires terrestres.

Masolino
L'Assomption de la Vierge, panneau central (envers), triptyque de la basilique Sainte-Marie-Majeure à Rome, 1424-1428
Tempera, huile et or sur bois, 144 × 76 cm
Naples, musée de Capodimonte

Masolino dépeint les neufs chœurs angéliques selon leurs rangs respectifs dans la hiérarchie céleste.

Les anges présents dans *Shâh Jahân sur une terrasse, tenant un pendentif avec son portrait* sont censés affirmer la suprématie de cet empereur indien, qui gouverne l'Empire moghol aussi vaste que riche sur le plan culturel (1526-1857). Son portrait affiche un égocentrisme grandiloquent : l'empereur contemple son portrait en miniature, sa tête est nimbée d'un **halo** d'or, et des anges aux allures de chérubins peuplent des **nuages** comme pour célébrer l'être divin qu'ils survolent.

Chitarman

Shâh Jahân sur une terrasse, tenant un pendentif avec son portrait, folio tiré de l'*Album de Shâh Jahân*, 1627-1628
Encre, aquarelle opaque et or sur papier, 38,9 × 25,7 cm
New York,
The Metropolitan Museum of Art

Les anges présents dans cette scène montrent que les ateliers moghols étaient au fait des symboles de l'art européen, qu'ils ont absorbés, adaptés et ravivés dans leur propre culture visuelle.

ŒUVRES CLÉS

Giotto, *Lamentation sur le Christ mort*, 1303-1305, Padoue, chapelle des Scrovegni

Francesco Botticini, *L'Assomption de la Vierge*, v. 1475-1476, Londres, National Gallery

Ange assis sur un tapis (dynastie des Chaybanides, Boukhara), v. 1555, Londres, British Museum

Antony Gormley, *L'Ange du Nord*, 1998, Gateshead, comté de Tyne and Wear

LE HALO

Le halo – un nimbe lumineux de forme circulaire, symbolisant le caractère divin – ponctue l'imagerie d'innombrables religions eurasiennes, parmi lesquelles le zoroastrisme, le mithraïsme, la mythologie gréco-romaine, le bouddhisme et les cultes védiques. L'art chrétien ne l'adopte que vers le Vᵉ siècle, où prédomine le halo circulaire. De forme carrée, il désigne un saint vivant ; quant au halo triangulaire, c'est l'apanage de Dieu le Père (il peut contenir son **œil** « qui voit tout », p. 129).

Le *Bouddha Maitreya* est à la fois Bouddha et bodhisattva, c'est-à-dire « futur » Bouddha, destiné à paraître en sa gloire après la chute imminente de l'humanité. Ses **mains** forment le geste dit *varadamudra*, offrant protection et faveur ; il est escorté d'un rassemblement (*jamboree*) de nymphes musiciennes (*apsaras*), de bodhisattvas et de moines. Sur l'envers du *Bouddha Maitreya*, une inscription explique que cette œuvre est une commande d'un homme ayant perdu son fils. Il avait espoir que tous deux seraient réunis dans le royaume de pureté dirigé par le glorieux Maitreya.

Artiste inconnu
Bouddha Maitreya
(Chine), 524 apr. J.-C.
Bronze doré, H 76,8 cm
New York,
The Metropolitan
Museum of Art

Dans cette sculpture du VIᵉ siècle en provenance de Luoyang (Chine), le Bouddha/bodhisattva descend sur terre en majesté. Un premier halo nimbe sa tête ; un autre, plus large et entouré de flammes (une mandorle), l'enveloppe tout entier.

ŒUVRES CLÉS

Le Couronnement de Chapour II, 363-379, Taq-e Bostan (Iran)

Bouddha debout, offrant la protection (Inde), fin du Vᵉ siècle, New York, The Metropolitan Museum of Art

Le Christ Cosmocrator avec les anges et saint Vital, v. 546, Ravenne, basilique San Vitale

La Vierge et l'Enfant entourés d'une mandorle de chérubins (Ombrie, Italie), v. 1480-1500, Londres, National Gallery

LES ATTRIBUTS

-

**C'est dans les symboles et à travers
eux que l'homme, consciemment ou non,
vit, travaille et possède son être.**

-

Thomas Carlyle

1836

LE COQUILLAGE

Une Vénus passive, au geste languissant, vêtue de ses seuls bijoux en or, glisse mollement sur les vagues dans un coquillage, entourée du **halo** formé par un voile que le vent gonfle en lui donnant la forme d'un second coquillage. *Vénus à la coquille* est une image conçue pour charmer le regard des habitants de Pompéi, qui adorent Vénus car cette déesse de l'amour et de la beauté est aussi la protectrice de leur cité. La fresque conjugue deux notions communément associées au coquillage dans l'histoire de l'art : féminité et procréation. Dans la mythologie, Vénus naît après que le Titan Cronos a châtré son propre père, Ouranos, dont il jette les organes génitaux dans la mer. La déesse, conçue lorsque la semence d'Ouranos se mêle à l'eau de mer, émerge d'un coquillage géant que les flots ont porté au rivage.

L'association du coquillage à la fertilité provient de son rapport à l'**eau**. Le coquillage figure parmi les quatre attributs du dieu hindou Vishnou ; dans un temple de l'Uttar Pradesh, région de l'Inde, une statue intitulée *Vishnou dormant d'un sommeil cosmique* montre le dieu tenant une conque dans celle de ses **mains** droites sculptée au premier plan. Tandis qu'il dort dans les **eaux** primordiales, Vishnou crée le monde. Le puissant **serpent** à multiples têtes, Anata (lové autour de Vishnou dans la partie gauche de la sculpture), lui sert de lit ; de son nombril pousse

Artiste inconnu
Vénus à la coquille, antérieur à 79 apr. J.-C. Fresque
Pompéi, maison de Vénus à la coquille, salle 8

Par ses aplats et sa composition centralisée, cette fresque préfigure une œuvre célèbre et postérieure de la Renaissance : *La Naissance de Vénus* de Botticelli. Elle inspirera aux artistes occidentaux l'archétype du nu féminin allongé.

Artiste inconnu
*Vishnou dormant
d'un sommeil cosmique*,
XIᵉ siècle
Grès,
36,8 × 55,9 × 11,4 cm
Los Angeles,
Los Angeles County
Museum of Art

**Vishnou tient ici la
conque, son attribut
le plus fréquent,
contre sa cuisse
gauche.**

un **lotus** où trône Brahma. La conque évoque le milieu aquatique, amniotique : elle symbolise la naissance, comme dans le mythe d'Aphrodite/Vénus.

Outre ces deux aspects, féminité et fécondité, le coquillage revêt diverses significations selon le contexte. Au Bénin, les cauris ont été une monnaie d'échange reconnue, et des sculptures originaires de ce pays et d'autres contrées africaines incluent souvent ces coquillages, signe de richesse et de pouvoir. Dans le rituel hindou, la conque a une importance cardinale, car elle est utilisée à la façon d'une **trompette**. En Europe, la coquille Saint-Jacques est l'emblème de saint Jacques le Majeur. Ses restes sont ensevelis à Saint-Jacques-de-Compostelle, devenu un lieu important de pèlerinage : la coquille est le signe de reconnaissance des pèlerins.

ŒUVRES CLÉS

Sandro Botticelli, *La Naissance de Vénus*, v. 1485, Florence, galerie des Offices

Le Caravage, *Le Repas à Emmaüs*, 1601, Londres, National Gallery

Masque-casque, antérieur à 1880 (royaume Bamoun, Cameroun), New York, The Metropolitan Museum of Art

Eileen Agar, *The Autobiography of an Embryo* [L'autobiographie d'un embryon], 1933-1934, Londres, Tate Gallery

L'ARC ET LA FLÈCHE

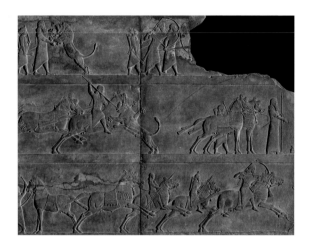

Les flèches sont souvent associées à l'autorité militaire et à la chasse. Les pharaons égyptiens en décochent une vers chaque point cardinal lors d'une cérémonie démontrant leur souveraineté sur l'univers. Au VIIe siècle avant J.-C., le roi assyrien Sardanapale voit dans la flèche le symbole d'une autorité incisive, capable d'infliger une « frappe chirurgicale » – c'est-à-dire de tuer un adversaire sans créer de dommages collatéraux – à distance. Le **lion**, représenté sur le relief ci-dessus, dépeint au summum de la férocité, les muscles tendus pour l'assaut, contraste avec la calme efficacité d'Assurbanipal : le roi domine visiblement le conflit.

Ailleurs, la flèche est un instrument d'amour et non de guerre. Dans la mythologie gréco-romaine, l'enfant-dieu Éros/Cupidon, qui figure dans *Vénus et Cupidon* du Bronzino, détient une flèche à pointe d'or capable d'exciter un amour irrationnel chez celui qu'elle atteint. Pour autant, le rôle exact de cette flèche et des autres éléments picturaux, figures et objets, prête à débat. Ce tableau est une commande de Côme de Médicis, grand-duc de Toscane, à l'intention du roi François Ier. D'où, peut-être, sa complexité : Côme sait que le souverain prendra autant de plaisir à décrypter ces symboles abscons et obscurs qu'à scruter ce foisonnement de corps nus et d'étoffes somptueuses. Pour relever le défi, Bronzino est tout indiqué : c'est un poète autant qu'un peintre. Ses vers sont érotiques, euphémistiques, allusifs ; chaque mot ou presque recèle un sens caché, plus sombre.

Artiste inconnu
La Chasse aux lions, bas-relief ornant une salle du palais du Nord, Ninive (de nos jours dans le nord de l'Irak), v. 645-635 av. J.-C. Gypse, 63,5 × 71,1 cm Londres, British Museum

Cette scène ornant le palais du Nord à Ninive se veut une allégorie des guerres menées par le roi assyrien Sardanapale contre ses ennemis égyptiens, élamites et babyloniens. La flèche symbolise la puissance victorieuse de ses troupes.

Vénus et Cupidon distille ce talent poétique sous forme picturale, sollicitant l'érudition symbolique du spectateur. Alors qu'elle nous montre une scène où figure la déesse de l'amour avec son fils, l'œuvre subvertit nos attentes. Si les flèches dorées de Cupidon sont les aiguillons de l'amour, les figures entourant le couple – la Jalousie tourmentée (peut-être une allégorie de la Syphilis), le Plaisir puéril (trop hébété pour sentir l'épine qui transperce son **pied**), la Fraude qui présente un rayon de miel tout en cachant son dard, le Temps en vieillard moralisateur et les **masques** du faux-semblant – désignent toutes les effets sinistres de la passion.

ŒUVRES CLÉS

Guerrier à cheval, XIVe siècle, Kyoto, Musée national de Kyoto

Paul Véronèse, *Allégorie de l'Amour II (le Mépris)*, milieu des années 1540, Londres, National Gallery

L'Empereur Jahangir avec un arc et des flèches, v. 1603, Washington, Arthur M. Sackler Gallery

Sir Joshua Reynolds, *Les Archers : le colonel Acland et Lord Sydney*, 1769, Londres, Tate Gallery

Le Bronzino
Vénus et Cupidon,
v. 1545
Huile sur panneau,
146,1 × 116,2 cm
Londres,
National Gallery

Une double tromperie se joue au cœur de la toile : Vénus vole une flèche au carquois de Cupidon ; lui-même, taquin, escamote la couronne sur sa tête.

LA COURONNE

La couronne est l'un des symboles les plus flagrants de domination et de gloire. Les artistes l'ont attribuée aux divinités triomphales, aux grands de ce monde, aux champions de la culture et du sport.

Le roi figuré dans ce buste en terre cuite (ci-contre) provenant d'Ife, ville située dans l'actuel Nigeria, porte une couronne faite de billes tubulaires, l'*adenla*. Dans la civilisation ife, le roi passe pour une figure divine : sa couronne est plus qu'un signe de prestige. En la portant, il prend contact avec les esprits des précédents souverains. Les sculptures de ce type sont enterrées sous les arbres sacrés, afin d'être par la suite exhumées et utilisées dans d'autres cérémonies. Le buste souligne deux aspects de la fonction monarchique. La couronne confère au sujet un aspect divin, surhumain, l'inscrivant dans la lignée monarchique yoruba. Le visage, lui, souligne le caractère mortel du roi comme individu : sa charpente osseuse, comme sa peau délicate, atteste un rendu époustouflant.

La couronne a pris une forme multiple dans l'histoire de l'art. Dans l'Égypte antique, une mitre blanche symbolise le gouvernement de la Haute-Égypte ; une autre, rouge, la domination de la Basse-Égypte. Imbriquées, elles indiquent le contrôle du territoire entier. Shiva, comme les divinités bouddhistes et d'autres dieux-monarques mythologiques, porte une coiffe évoquant une couronne. Dans l'art chrétien, celle-ci est emblème de gloire (les divers couronnements de la Vierge aux cieux) ou de tragédie : la couronne d'épines résume la Crucifixion

Artiste inconnu
Tête, peut-être d'un roi (ife), XIIᵉ-XIVᵉ siècle
Terre cuite avec résidus de pigment rouge et traces de mica,
26,7 × 14,5 × 18,7 cm
Fort Worth,
Kimbell Art Museum

La grâce et l'authenticité du modelé peuvent nous faire oublier la couronne. Or celle-ci a une aura symbolique, cruciale pour le peuple yoruba.

Albert Bouts (atelier)
L'Homme de douleurs,
v. 1525
Huile sur chêne,
44,5 × 28,6 cm
New York,
The Metropolitan
Museum of Art

Bouts exacerbe les souffrances du Christ en peignant des épines d'une longueur inhabituelle. Le portrait souligne ses yeux rougis et les larmes coulant sur ses joues.

de Jésus. Dans l'allégorie européenne, une couronne de **laurier** signifie la victoire, mais dans les vanités, elle souligne la futilité du pouvoir temporel.

Albert Bouts, parmi d'autres, dépeint ainsi la couronne d'épines, l'un des symboles d'humilité les plus prégnants de l'iconographie chrétienne. Elle fait voir l'aboutissement de la Passion, cette suite d'événements qui commence par l'arrestation de Jésus pour s'achever sur sa résurrection. Ce tableau témoigne d'une approche réaliste et d'un soin particulier : sur la tête du Christ, les mèches de cheveux sont peintes une à une, et, détail macabre, son front présente des lignes bleues verticales aux endroits où les épines se sont enfoncées sous la peau. Dans cette scène empreinte de simplicité, la couronne, le **halo**, le **sang** et les **gestes des mains** suffisent à communiquer un sens. Ce prototype d'image non narrative, accentuant la souffrance physique et mentale du Christ, a pour nom « l'Homme de douleurs ». Selon les Évangiles, c'est par dérision que le Christ est couronné d'épines par ses bourreaux romains : ils le revêtent aussi d'une robe pourpre, couleur impériale, et le soumettent à un sacre ironique en scandant « Salut, roi des Juifs ». Le motif de la couronne d'épines se popularise dans les arts vers le Moyen Âge, époque où artistes et auteurs religieux se concentrent sur les épisodes montrant les souffrances du Christ.

ŒUVRES CLÉS

Statuette du dieu Sobek à tête de crocodile, v. 664-332 av. J.-C., Paris, musée du Louvre

Plaque du Bénin, XVIe siècle, Londres, British Museum

Antoine Van Dyck, *Le Couronnement d'épines*, 1618-1620, Madrid, musée du Prado

Jacques Louis David, *Napoléon se couronnant empereur devant le pape*, 1805, Paris, musée du Louvre

LE MASQUE

Artemisia Gentileschi
Autoportrait en allégorie de la Peinture,
v. 1638-1639
Huile sur toile,
96,5 × 73,7 cm
Château de Hampton
Court, collection royale

Les masques symbolisent l'imitation du vivant. Ici, le pendentif en forme de masque est disposé de façon à faire face à la palette et aux pinceaux de l'artiste, outils de sa créativité.

Partout dans le monde, les masques ont partie liée avec la créativité, les rites et la performance artistique. Artemisia Gentileschi en porte un dans son *Autoportrait en allégorie de la Peinture* (peint à Londres). Toutefois, ce masque ne couvre pas son visage. C'est en fait un bijou qui pend dans le vide au bout d'une chaîne alors qu'elle se penche en avant pour peindre.

Si l'artiste inclut ce minuscule emblème, c'est qu'il renvoie à l'art : il figure parmi les accoutrements de la Peinture dans la tradition allégorique un bâillon signifiant que la peinture est une forme artistique muette ; une robe de soie moirée reflétant l'usage de la couleur, pinceau et palette ; enfin, la sueur qui perle à son front exprime sa ferveur créative (Antoine Van Dyck partage ce trait dans son autoportrait, p. 59)). Ces attributs de la Peinture (*Pittura*) sont définis dans un répertoire de figures allégoriques, l'*Iconologia* de Cesare Ripa, paru en 1593. Ripa échafaude ses allégories à partir de diverses sources historiques, entre autres la Grèce classique, où les masques servent aux représentations des tragédies. Ils servent aux acteurs à amplifier leurs voix et leur permettre d'habiter avec succès une diversité de rôles qui auraient inclus différents genres, classes et âges. La suggestion de Ripa est donc que les peintres, comme les acteurs, doivent affiner un talent qui consiste à imiter le vivant.

Les autoportraits de peintres les montrent généralement de face. Cela relève à la fois de la tradition et du bon sens : il est plus facile de se dépeindre avec exactitude en consultant directement un miroir. Artemisia Gentileschi opte pour une pose plus complexe : penchée vers le spectateur, elle détourne le visage. Elle ne réussit donc à se peindre qu'en utilisant un système ingénieux de miroirs inclinés. Le labeur de l'artiste est un thème mis à l'honneur dans le tableau. Elle tend vers nous sa palette, qu'elle tient dans son poing serré, lequel repose sur une pierre polie, de celles que les artistes utilisent pour broyer leurs pigments.

Elle porte un tablier brun et laisse voir un bras et un poignet droit musclés par le travail manuel. Détail significatif, Artemisia n'inclut pas dans son allégorie le bâillon stipulé par Cesare Ripa. Ici, il aurait suggéré une forme de soumission : c'est le contraire du message qu'entend projeter cette femme peignant dans un milieu artistique où les hommes dominent.

Le pinceau d'Artemisia est suspendu au-dessus de sa toile : elle se dépeint à mi-chemin entre observation et exécution. C'est l'étape à la fois la plus excitante, la plus hésitante et la plus frustrante dans le processus pictural : comment tracer au pinceau une marque qui archive de manière exacte et significative un aspect de cette réalité toujours fluctuante ? Comment tirer parti d'une imitation factice pour restituer des idées vraies ? Le masque de la *Pittura* nous rappelle cette lutte. « L'imitation est un discours qui, même faux, a pour guide une vérité qui s'est produite », a écrit Cesare Ripa.

Les masques participent aussi du drame japonais. Le *Netsuke représentant un masque de Hannya* conservé au Metropolitan Museum présente un masque théâtral figurant un démon féminin que l'on rencontre dans les spectacles de nô et de kyōgen. Les netsukes japonais sont des ornements sculptés que les hommes attachent à leurs robes traditionnelles.

ŒUVRES CLÉS

Masque en or d'Agamemnon (grec), v. 1550-1500 av. J.-C., Athènes, Musée national archéologique

Masque tragique d'homme en terre cuite (romain), IIIe-IIe siècle av. J.-C., Londres, British Museum

Masque-pendentif représentant la reine mère (iyoba), XVIe siècle, New York, The Metropolitan Museum of Art

Nicolas Poussin, *Le Triomphe de Pan*, 1636, Londres, National Gallery

Artiste inconnu
Netsuke représentant
un masque de Hannya,
XIXᵉ siècle
Bois, H 3,2 cm
New York,
The Metropolitan
Museum of Art

C'est bien à un masque
que se résume
ce *netsuke* : celui
de Hannya, incarnation
démonique de la
jalousie féminine dans
le théâtre japonais.
Sur cette miniature,
les contorsions faciales
sont restituées avec un
soin tout particulier.

LA BALANCE

Lorsqu'elle apparaît sur les œuvres d'art, la balance est toujours
tenue à la main : symbole de jugement, elle suggère, par extension,
l'impartialité du juge, son équité et son sens de la mesure. Dans
l'imagerie égyptienne, un motif répandu montre Osiris pesant
les âmes dans son tribunal. Sur l'un des plateaux, il a posé
un cœur humain (figurant l'âme), et sur l'autre, une plume.
Si le cœur l'emporte, c'en est fait du mort, mais s'il pèse moins
que la plume, il peut accéder à l'au-delà. Dans l'iconographie
chrétienne, saint Michel est souvent dépeint avec une balance
dans les scènes du Jugement dernier : lui aussi pèse les âmes

Johannes Vermeer
La Femme à la balance,
v. 1664
Huile sur toile,
39,7 × 35,5 cm
Washington, National
Gallery of Art

**Vermeer attire
de façon subtile notre
regard sur la balance :
il la situe dans
la ligne de fuite de sa
composition et l'aligne
sur les verticales
formées au centre
par le cadre du tableau
et le pied de table.**

des défunts, qu'il envoie au paradis ou en enfer. Dans l'art gréco-romain, ce rôle est parfois assigné à Hermès/Mercure. La balance est aussi maniée par les allégories de la Justice, tel l'un des quatre cavaliers de l'Apocalypse.

Dans *La Femme à la balance* de Vermeer, les plateaux s'équilibrent à peu près, observés en silence par la femme qui occupe le centre de cet intérieur hollandais immaculé. Le tableau illustre le talent exceptionnel avec lequel Vermeer traite la peinture à l'huile, surtout pour restituer les effets de lumière au moyen de subtiles touches et pointes de pigments, évoquant habilement les rayons qui font miroiter la surface des divers matériaux. À quelle fin ? *La Femme à la balance* ne dépeint pas un tournant mémorable dans l'histoire ou la religion, mais un instant quotidien : une porte ouverte sur un placide salon hollandais du XVIIᵉ siècle. Or la présence de cette balance symbolique, conjuguée avec le tableau situé derrière la femme et figurant le Jugement dernier, donne à penser qu'un message codé se trame sous la surface.

Vermeer, peintre catholique, vit dans la République hollandaise protestante. Il ne lui est pas donné de peindre des toiles prestigieuses sur des sujets pieux, commandes d'Église, puisque le protestantisme juge que l'art figuratif contrevient aux préceptes de la Bible sur l'idolâtrie. Il est donc amené à dissimuler sa pensée religieuse sous la banalité des scènes quotidiennes prisées des classes professionnelles et marchandes en Hollande. Si cette œuvre peut dès lors passer pour un tableau de genre, montrant une activité ordinaire, elle se laisse aussi interpréter comme une allégorie des Vanités humaines. Cette femme à la mise respectable, qui baisse les yeux pour éviter le **miroir** placé en face d'elle, pourrait représenter la Vertu. La balance occupe le point mort de la toile, qu'elle partage en deux moitiés, l'une matérielle, l'autre spirituelle, entre lesquelles ses plateaux oscillent doucement en conviant le spectateur à s'interroger : de quel côté notre âme se situe-t-elle ?

ŒUVRES CLÉS

Page du Livre des Morts, papyrus d'Ani (Égypte), v. 1275 av. J.-C.,
Londres, British Museum

Attribué au Peintre de Syracuse, *Hermès psychostase* (peseur d'âmes, Grèce),
v. 490-480 av. J.-C., vase en céramique, Boston, Museum of Fine Arts

Hans Memling, *Le Jugement dernier*, 1467-1473, Gdańsk (Pologne), Musée national

Albrecht Dürer, *L'Apocalypse*, 1498, Londres, British Museum

L'ÉPÉE

Dans l'histoire de l'art occidental, l'épée symbolise le courage viril, l'autorité et la justice ; dans le bouddhisme et le taoïsme, elle renvoie à l'acte d'exciser l'ignorance et le mal, incarnant l'intelligence spirituelle. Arme des rois et des nobles, elle signifie leur droit à gouverner, à défendre et à octroyer les honneurs, ce qu'attestent encore les épées de cérémonie et le protocole qui confère le titre de chevalier.

Saint Michel triomphant du Mal (ci-contre) ornait sans doute le panneau central d'un retable. L'œuvre puise dans une iconographie conventionnelle. Elle a été peinte en Espagne peu avant le triomphe de la Reconquista, guerre civile au terme de laquelle la population musulmane (présente en Espagne depuis le VIIIe siècle) est refoulée par les chrétiens. L'analogie entre cette « reconquête » et le sujet élu par l'artiste saute aux yeux : l'**archange** saint Michel combattant pour Dieu et contre les **anges** rebelles menés par Satan, ici un démon surnaturel. L'épée que tient le saint alors qu'il se prépare à frapper Satan est un symbole de justice divine.

Une épée figure aussi dans le panneau de droite de l'œuvre de Kara Walker, *40 Acres of Mules* ([40 arpents de mules], pages suivantes) : elle pend, rangée au fourreau, à la ceinture d'un officier de l'armée sudiste. Mais, comme tant d'autres aspects dans les œuvres de l'artiste, dont celle-ci, l'iconographie est subvertie à des fins satiriques.

Kara Walker s'est inspirée d'un vaste relief en pierre gravé dans le versant de Stone Mountain dans l'État de Géorgie. Il figure les trois généraux en chef sudistes pendant la guerre de Sécession : Jefferson Davis, Robert E. Lee et « Stonewall » Jackson. Le parc national de Stone Mountain était devenu un lieu de rencontre du Klu Klux Klan, et il n'était pas rare de voir s'enflammer régulièrement une croix. Le titre du dessin de Kara Walker fait référence à l'expression « quarante arpents et une mule », soit la promesse faite aux esclaves affranchis, une fois la guerre finie, de leur octroyer terrains et animaux – cet engagement ne fut pas respecté par la suite.

Pour son dessin, Kara Walker puise dans l'iconographie conventionnelle de la Crucifixion. Son format en triptyque fait écho à celui des retables européens.

Bartolomé Bermejo
Saint Michel triomphant du Mal, 1468
Huile et or sur bois,
179,7 × 81,9 cm
Londres,
National Gallery

La figure agenouillée est celle du commanditaire, Antoni Joan, seigneur de Tous (ville proche de Valence). Il fixe du regard l'épée de saint Michel, prête à frapper le dragon ; lui-même a une petite épée calée au creux de son bras pour signifier son rang.

Dans la section centrale, une figure qu'on lynche sous la croix d'un drapeau sudiste a le flanc percé, comme le Crucifié. Membres du Klu Klux Klan, soldats blancs, femmes, ânes et chevaux cabrés remplacent les saints et les bourreaux romains. Pas la moindre grandeur susceptible d'ennoblir la Crucifixion : tout a dégénéré ici en une orgie sans frein d'émasculation, d'agression sexuelle et de sadisme raciste.

Kara Walker a décrit elle-même ce que le corps noir persécuté au centre de la composition représentait pour les Blancs : « une menace substantielle – sociale, psychologique, sexuelle – qu'il fallait détruire (dont acte). En soi, le corps noir ne pouvait jamais mourir de manière à satisfaire la classe dirigeante blanche et à la laisser enfin respirer. Ce corps est le représentant de tous les corps opprimés ou soumis à ce type de torture psychosexuelle ».

Kara Walker
40 Acres of Mules
[40 arpents de mules],
2015
Fusain sur papier,
triptyque, chaque
panneau est spécifique,
de gauche à droite :
264,2 × 182,9 cm
261,6 × 182,9 cm
266,7 × 182,9 cm
New York, MoMA

L'épée au fourreau dans
le panneau de droite
est un symbole à l'ironie
mordante : non plus un
instrument d'honneur
et d'intégrité, mais
une arme de brutalité
raciste.

ŒUVRES CLÉS

Donatello, *Statue équestre du Gattamelata*, 1453, Padoue, Piazza del Santo

La Bataille de Badr, extrait du *Siyar-I Nabi (Vie du Prophète) écrit par Mustafa Darir*,
v. 1594, manuscrit, Londres, British Museum

Artemisia Gentileschi, *Judith décapitant Holopherne*, 1612-1613, Naples,
Musée national de Capodimonte

Jean-Michel Basquiat, *Guerrier*, 1982, collection particulière

LA TROMPETTE

« Un de ces matins, à l'aube,
Dieu va appeler Gabriel,
Le grand ange lumineux Gabriel,
Et Dieu va lui dire : Gabriel,
Souffle dans ta trompette d'argent
Pour réveiller les nations en vie.
Et Gabriel de s'enquérir : Seigneur,
Dois-je souffler bien fort ?
Et Dieu de lui dire : Gabriel,
Souffle tout doux, tout calme.
Alors, un pied posé sur les cimes,
L'autre au milieu de la mer,
Gabriel soufflera dans sa trompette
Pour réveiller les nations en vie. »

Cet extrait d'un poème publié en 1927 par James Weldon Johnson et intitulé *Le Jugement dernier* lui a été inspiré par la verve rhétorique d'un évangéliste noir de Kansas City. Or Johnson a pour ami Aaron Douglas, comme lui membre de la Renaissance de Harlem, et c'est à lui qu'il demande de compléter son poème en l'illustrant. Ce tableau de Douglas montre l'**ange** Gabriel jaillissant sur fond de **foudre** et de tempêtes sur mer pour sonner de sa trompette. Il force ainsi les âmes tapies dans ce bas monde à quitter leur cachette pour affronter le jugement divin. Le style de Douglas est influencé par le cubisme et le futurisme comme par la sculpture africaine et l'iconographie égyptienne : il émule clairement le tempo énergique de Johnson avec ses bandes de couleurs cinétiques et ce Gabriel plein d'assurance, aux vastes enjambées.

Comme sur ces images du Jugement dernier, la trompette symbolise en général un message qu'on proclame au loin. Dans l'art européen, c'est l'attribut de la Renommée allégorique, des Muses comme Clio (voir *L'Art de la peinture* de Vermeer, p. 42) et des hérauts dans les processions romaines. Triton, fils et serviteur de Poséidon/Neptune, le dieu des mers, claironne ainsi la gloire de son maître dans une vaste conque.

Aaron Douglas
Le Jour du jugement,
1939
Huile sur panneau
de fibres,
121,9 × 91,4 cm
Washington, National
Gallery of Art

**Dans ce tableau
de Douglas, un ange
colossal souffle dans
une trompette,
en accord avec
la description biblique
de l'Apocalypse :
au jour du Jugement
dernier, sept coups
de trompette
proclameront la fin du
monde en provoquant
chacun un cataclysme
distinct.**

ŒUVRES CLÉS

Derviche avec un cor et une sébille (Iran), début du XVIIe siècle,
Londres, British Museum

Sir Edward Coley Burne-Jones, *L'Escalier d'or*, 1880, Londres, Tate Gallery

Wassily Kandinsky, *Toussaint I*, 1911, Munich, Städtische Galerie im Lenbachhaus

Max Beckmann, *Carnaval*, 1920, Londres, Tate Gallery

L'HORLOGERIE

La première occurrence du sablier dans l'art européen date du Moyen Âge. Sa signification ne fait aucun doute : il figure le passage du temps, le caractère éphémère de la vie, la survenue inévitable de la mort. Chronomètres, cadrans solaires, pendules et autres mécanismes d'horlogerie ont ce sens en partage. Ils peuplent les vanités et servent d'attributs aux personnifications de la Tempérance, de la Mort ou du Temps.

Un sablier figure dans le coin supérieur droit de *Melencolia I*, œuvre conçue à Nuremberg en 1514. C'est l'un des rares symboles dont Dürer fasse usage dans ses *Meisterstiche* (gravures de maître) comprenant *Melencolia I* et deux autres gravures réalisées à la même époque : *Le Chevalier* (1513) et *Saint Jérôme* (1514). Cet objet a visiblement un statut particulier.

Melencolia I a suscité d'infinis débats tant il comporte encore de mystère. Cette image nous taquine : d'un côté, elle ravit le spectateur par ses prouesses artistiques en matière de gravure, de l'autre, elle le frustre par ses symboles d'une complexité énigmatique, parmi lesquels le sablier. Mêmes les questions premières demeurent sans réponse : ainsi, quelle est cette figure centrale ? Un **ange** ? une allégorie ? Si cette seconde hypothèse est la bonne, un regain de mystère émerge, car les chercheurs ne s'accordent pas sur ce qu'elle représenterait : la Mélancolie, la Géométrie, ou un autre concept encore non identifié.

La raison de sa tristesse demeure opaque, comme ce phénomène lumineux dans le ciel, qui pourrait être une comète ou une **lune** émettant sa clarté. Certains auteurs ont spéculé sur les sources d'inspiration de Dürer : théories de Copernic, alchimie, philosophie de Platon, traités médicaux, astrologie… En fin de compte, nous ne pouvons trancher sur la signification des symboles qui peuplent cette gravure, et le sablier contribue à cette impression générale de mystère. Est-ce un instrument de mesure, d'analyse, de création, comme tous ceux qui sont

Albrecht Dürer
Melencolia I, 1514
Gravure,
24,2 × 18,8 cm
Washington, National
Gallery of Art

Cette gravure est pétrie d'ambiguïté, au point que certains chercheurs y voient une œuvre dont la signification est volontairement insoluble : une boutade raffinée sur les limites du symbolisme et de l'allégorie. Le sablier est-il un emblème du temps compté qui nous est donné pour résoudre et créer ?

Hannah Höch
Das Schöne Mädchen
[La jolie fille], 1920
Photomontage,
35 × 29 cm
Collection particulière

**Les aiguilles de
la montre sont un
memento mori évoquant
la routine mortifère
de l'industrie, la
rotation d'une journée
de travail et l'obsession
du rendement.**

éparpillés dans la scène ? Est-ce un motif de chagrin ou une consolation qui nous est adressée, assurant que les frustrations ne sont que temporaires ?

Das schöne Mädchen [La jolie fille] de Hannah Höch présente une iconographie modernisée, marquée au sceau du xxᵉ siècle industriel, comprenant des logos d'entreprise, un cric, un pneu en caoutchouc, une ampoule, des toilettes féminines et une montre à gousset. L'œuvre tente de refléter à nos yeux le rôle changeant des femmes dans un environnement instable et mécanisé : l'Allemagne de Weimar. De plus en plus recrutées dans la main-d'œuvre nationale, les femmes sont pourtant toujours censées adopter un rôle et un comportement traditionnels de manière à satisfaire les hommes.

Le contraste violent entre le cliché de la jolie fille en maillot de bain et le décor industriel qui l'entoure explicite cette instabilité des rôles sociétaux. L'image dépeint aussi la révolution par le biais de rouages mis en mouvement : elle démultiplie le logo BMW, conçu à l'origine pour montrer une hélice blanche sur fond de ciel bleu. Contrairement aux figures humaines, le cadran de la montre n'est pas caché par les autres motifs. Aussi la montre remplit-elle peut-être la même fonction que le sablier dans *Melencolia I* de Dürer : symboliser un outil tyrannique de mesure et d'exaction.

ŒUVRES CLÉS

Nicolas Poussin, *Danse à la musique du temps*, v. 1634-1636, Londres, Wallace Collection

Harmen Steenwijck, *Une allégorie des Vanités de la vie humaine*, v. 1640, Londres, National Gallery

Dante Gabriel Rossetti, *Pia de' Tolomei*, 1868-1880, Lawrence, Spencer Museum of Art

Salvador Dalí, *La Persistance de la mémoire*, 1931, New York, MoMA

LE MIROIR

Le miroir a une résonance particulière en art, et ce, dans une
multitude de pays et d'époques. Il sert souvent d'outil esthétique.
L'artiste et le miroir ont plus ou moins le même devoir : faire écho
à leur environnement visuel. Les miroirs les plus anciens datent
du VIe millénaire avant notre ère. Ce sont des plaques d'obsidienne
polie, une pierre extraite de **montagnes** volcaniques et qui était
l'objet d'un culte tel que celui exhumé dans le site néolithique
de Çatalhöyük (Turquie). Les premières peintures où figurent des
personnages avec un miroir proviennent de l'Égypte ancienne,
vers le IIe millénaire avant notre ère. Plus tard, dans la sculpture
gréco-romaine, la déesse de l'amour Aphrodite/Vénus est dépeinte
avec un miroir à la main, admirant sa beauté sans pareille.

Au cours du temps, l'art européen associe le miroir à tel vice ou
à telle vertu : la vérité et la pureté (il reflète en toute impartialité)…
ou, à l'inverse, la vanité (il nourrit l'égocentrisme). Les miroirs sont
aussi utilisés à des fins occultes en Europe, où les devins sondent
les reflets brumeux en quête de signes prophétiques. En Asie,
on y voit des instruments magiques révélant l'âme de qui
s'y regarde, et on les orne de motifs porte-bonheur. Au Japon,
un miroir est l'une des trois reliques sacrées de l'empereur.

Quand Diego Vélasquez peint la déesse Aphrodite/Vénus,
il enfreint certaines conventions du genre. Entre autres innovations,
il la peint de dos (traditionnellement, elle est montrée de front,
telle *Vénus à la coquille*, p. 138). Il détourne aussi son reflet dans
le miroir tenu par son fils Éros/Cupidon : Vénus nous observe au lieu
de se mirer, provocante, rendant la pareille au spectateur-voyeur.

Diego Vélasquez
Vénus à son miroir,
v. 1647-1651
Huile sur toile,
122 × 177 cm
Londres,
National Gallery

Plutôt que de fixer par son tracé la beauté légendaire de Vénus, Vélasquez la floute, soit pour souligner combien la déesse est inaccessible aux mortels, soit pour une raison personnelle (peut-être préserver l'identité de son modèle).

Artiste inconnu
*Masque en mosaïque
de Tezcatlipoca* (aztèque),
v. le XVe-XVIe siècle
Turquoise, pyrite, pin,
lignite, os humain, peau
de cerf, coquillages
et agave,
19 × 13,9 × 12,2 cm
Londres,
British Museum

C'est généralement
un miroir d'obsidienne
qui tient lieu de visage
à Tezcatlipoca. Ici,
toutefois, la mosaïque
de lignite noir et
les yeux en pyrite
soigneusement polie
suffisent à exprimer
l'autorité du dieu,
oraculaire et purgatoire.

La vertu magique du miroir est mise en évidence dans un objet conservé au British Museum, le *Masque en mosaïque de Tezcatlipoca*. Ce dieu des Aztèques, le « Seigneur du Miroir fumant », est l'une de leurs divinités majeures et l'adversaire de Quetzalcóatl (voir le *Serpent à deux têtes*, p. 100). Ce dieu tout-puissant est associé à l'obsidienne noire, matière dont on fait les couteaux sacrificiels, mais aussi les « miroirs noirs » servant à la divination, qui plus tard fascineront les Européens. Du fait de ces diverses associations, Tezcatlipoca serait à l'origine du rite du sacrifice humain. Maître des destinées, il a en partage un don de perspicacité surnaturel.

ŒUVRES CLÉS

Jan Van Eyck, *Les Époux Arnolfini*, 1434, Londres, National Gallery
Titien, *Vénus au miroir*, 1555, Washington, National Gallery of Art
Le Caravage, *Marthe et Marie-Madeleine*, 1598, Detroit, Detroit Institute of Arts
Joan Jonas, *Mirror Piece I*, 1969, New York, The Solomon R. Guggenheim Museum

-

**L'homme passe à travers des forêts
de symboles, qui l'observent
avec des regards familiers.**

-

Baudelaire

1857

GLOSSAIRE

Académie
École d'art, d'abord établie au cours de la Renaissance. Ce genre d'institution prône en général le style classique comme l'idéal le plus haut et celui qu'il faut imiter. Dans certains pays, la monarchie lui accorde un soutien officiel. C'est le cas de la Royal Academy de Londres.

Agni
En sanscrit, ce mot signifie « feu » mais désigne aussi le dieu hindou qui occupe la flamme rituelle.

Alchimie
Domaine précurseur de la chimie moderne. L'alchimie a trait surtout à la transmutation des matières « viles » en or. Les alchimistes s'appuient sur un système de symboles parfois appliqués aux arts visuels.

Allégorie
En art, représentation de concepts (émotions, notions, vertus…) sous une forme visuelle, que ce soit une figure humaine ou l'objet qui lui est associé.

Ankh
Symbole présent dans les hiéroglyphes égyptiens, croix surmontée d'un cercle représentant la vie.

Apsara
Motif indien, à l'origine une nymphe d'eau dans les religions védiques, par la suite une danseuse et une musicienne.

Assyrien
Période et civilisation liées à la cité-État d'Assur (située dans l'actuel nord de l'Irak) et ses empires, dont le plus puissant était connu sous le nom d'empire néo-assyrien et a duré du IXe au VIIe siècle avant notre ère.

Attribut
Objet tenu par les allégories, les divinités et autres figures religieuses, et qui permet de les identifier.

Auréole
Halo de lumière nimbant une tête ou une figure entière.

Aztèque
Nom donné aux peuples qui contrôlaient un empire dans le centre du Mexique entre les XIVe et XVIe siècles.

Babylonien
Période et civilisation liées à l'ancienne cité de Babylone et son empire. La cité était située dans l'actuelle Irak, et sa période la plus puissante eu lieu entre le VIIe et le VIe siècles av. J.-C.

Baroque
Style caractéristique du XVIIe siècle en Europe. Forgé à Rome, il se démarque
par sa dramaturgie de l'espace, sa force psychologique, son sens
du mouvement et de la grandeur.

Bodhisattva
Dans le Bouddhisme, une personne qui a atteint l'illumination suprême
mais qui choisit de rester parmi les mortels pour les aider sur leur chemin
vers le salut.

Cartouche
Cadre ovale entourant le symbole d'un pharaon de l'Égypte ancienne.

Corne d'abondance
Corne débordant de fleurs, de légumes et de fruits.

Cubisme
Style apparu au début du XXe siècle, inauguré par Pablo Picasso et Georges
Braque. Il consiste à montrer le vivant simultanément depuis plusieurs
perspectives, en déconstruisant la forme naturelle sous forme de plans
géométriques. Il annonce le collage.

Dharmachakra
Motif indien en forme de roue. Dans les religions hindoue et bouddhiste,
symbole évoquant le changement, la sagesse et la nature cyclique du temps.

Emblèmes (livres d')
Répertoires d'emblèmes destinés aux arts visuels. Le premier a été écrit
par l'Italien Andrea Alciato en 1531 ; ils opèrent comme des dictionnaires
de symboles.

Futurisme
Mouvement artistique né en Italie au début du XXe siècle, qui élit pour sujet
la vitesse et la puissance de la technologie moderne.

Hiéroglyphes
Langage écrit composé de signes et d'images représentant des mots
et des syllabes, notamment en Égypte ancienne.

Ichthus
Symbole en forme de poisson, signe du christianisme.

Iconographie
En histoire de l'art, discipline portant sur l'étude et l'interprétation
des motifs, entre autres symboliques.

Land Art
Mouvement émergeant à la fin du XXe siècle, dont les tenants fondent
leur art sur la nature : ils en exploitent directement les matériaux,
en œuvrant au sein du paysage au lieu de le dépeindre.

LGBTQ (mouvement)
Mouvement défendant les droits des personnes lesbiennes, gays,
bisexuels, trans, et répondant à d'autres identités de genre
ou caractérisations sexuelles.

Maçonnique
Relatif à la confrérie internationale des francs-maçons, pourvue
d'un système d'emblèmes.

Mandorle
Halo en forme d'amande entourant le corps d'une divinité.

Memento mori
Élément servant à rappeler la mort. Ainsi, le crâne évoque le caractère
éphémère de la vie et celui, inévitable, de la mort.

Mithraïsme
Religion fondée sur le culte du dieu Mithra ; né en Perse, ce culte s'est
répandu parmi les populations de l'Empire romain entre le Ier et le IIIe siècle
avant Jésus-Christ.

Moghol (Empire)
Dynastie musulmane régnant sur le nord de l'Inde entre 1526 et 1857.

Œil Oudjat
Motif stylisé de l'Égypte ancienne figurant l'œil d'Horus, auquel on attribue
des vertus thaumaturges.

Personnification
Représentation d'un concept sous une forme humaine.

Pictogramme
Élément de signalisation, qui représente son objet sous une forme
identifiable – par exemple, un carrefour au moyen d'une croix.

Précolombien
Période et civilisations des Amériques antérieures à l'arrivée de Christophe
Colomb et des explorateurs européens successifs.

Préraphaélite
Mouvement artistique en Angleterre, émulant l'art médiéval et celui des
débuts de la Renaissance. En peinture, il préconise l'usage des symboles.

Putto (pl. putti)
Figure propre à l'art européen, représentant la sensualité ou l'enjouement
au moyen d'un petit garçon dodu.

Quattrocento
Période correspondant au début de la Renaissance italienne, entre 1400
et 1500.

Rébus
Énigme picturale consistant à représenter un mot ou une phrase par une image ou une séquence d'images. On la résout en identifiant les images à voix haute.

Renaissance
Période marquée par une évolution intellectuelle et artistique nourrie du modèle classique. Elle a lieu en Europe entre 1400 et 1580 environ. Ses artistes les plus célèbres incluent Michel-Ange, Léonard de Vinci, Raphaël et Dürer.

Shen
Symbole de l'Égypte ancienne, cercle agrémenté d'une ligne au-dessous ou à côté. Il signifie « encercler » ou « protection ».

Shinto
Une religion japonaise indigène basée sur la dévotion aux esprits invisibles appelés *kami*.

Sublime
Concept relatif à la peinture paysagiste, introduit au XVIIIᵉ siècle par Edmund Burke lorsqu'il définit le sentiment de timidité, d'humilité ou de terreur qui saisit l'homme face à l'immensité ou à l'hostilité d'un phénomène naturel.

Sumérien
Relatif à la région de Sumer (actuel sud de l'Irak) et à ses populations. Les cités et cultures sumériennes s'épanouissent entre environ 3500 et 1900 avant Jésus-Christ.

Surréalisme
Mouvement artistique du XXᵉ siècle, d'inspiration psychologique, cultivant un attrait pour les rêves et l'irrationalité humaine.

Ukiyo-e
« Images du monde flottant », créées au Japon entre les XVIIᵉ et XIXᵉ siècles. Cet art populaire se focalise sur la vie quotidienne, les paysages et les sujets tirés du folklore et de la légende.

Uraeus
Cobra dressé à la verticale, motif ornant les coiffes des pharaons égyptiens pour signifier leur autorité temporelle.

Zoroastrisme
Une religion de la Perse ancienne (mais toujours pratiquée), basée sur les enseignements du prophète Zoroastre (également connu sous le nom de Zarathoustra). Dater le début du zoroastrisme est problématique – cela peut avoir commencé vers 1000 avant notre ère ou plus tôt, bien que certains chercheurs suggèrent une date ultérieure, du VIIᵉ ou VIᵉ siècle avant notre ère.

LECTURES COMPLÉMENTAIRES

ARASSE, Daniel, *Le Détail. Pour une histoire rapprochée de la peinture*, Paris, Flammarion, 2008, 2014 et 2021

BATTISTINI, Matilde, *Le Livre d'or des symboles*, trad. fr. Dominique Férault, Paris, Hazan, 2012

COOPER, J.C., *An Illustrated Encyclopaedia of Traditional Symbols*, Londres, Thames & Hudson, 1992

GOMBRICH, Ernst, *Gombrich on the Renaissance, Vol. 2: Symbolic Images*, Londres, Phaidon, 1994

HALL, James, *Dictionnaire des mythes et des symboles*, trad. fr. Alix Girod, Paris, G. Monfort, 1994

HALL, James, *Hall's Illustrated Dictionary of Symbols in Eastern and Western Art*, Londres, Routledge, 1997

JEAN, Georges, *Langage de signes : l'écriture et son double*, Paris, Gallimard, 1989

JUNG, Carl Gustav, *L'Homme et ses symboles*, dir. M.-L. von Franz, Paris, Robert Laffont, 2002

MORRIS, Desmond, *Postures: Body Language in Art*, Londres, Thames & Hudson, 2019

PANOFSKY, Erwin, *Essais d'iconologie : thèmes humanistes dans l'art de la Renaissance*, trad. fr. Claude Herbette et Bernard Teyssèdre, Paris, Gallimard, 1967

PASTOUREAU, Michel et DUCHET-SUCHAUX, Gaston, *La Bible et les Saints*, Paris, Flammarion, coll. « Champs Arts », 2017

RONNBERG, Ami (dir.), *Le Livre des symboles : réflexion sur des images archétypales*, Paris, Taschen, 2011

SHEPHERD, Rowena et Rupert, *1000 Symbols. What Shapes Mean in Art and Myths*, Londres, Thames & Hudson, 2002

VAN GOGH, Vincent, *Correspondance générale*, Paris, Gallimard, 1960

WOODFORD, Susan, *Apprendre à lire les images*, coll. « L'Art en Poche », Paris, Flammarion, 2018

INDEX

CRÉDITS PHOTOGRAPHIQUES

(**h** : haut ; **g** : gauche **d** : droite)

11 National Museum of Anthropology, Mexique; **13** Photo Kira Perov. © Bill Viola Studio; **14** The Metropolitan Museum of Art, New York, NY. Rogers Fund, 1914; **17l**, **17d** The Metropolitan Museum of Art, New York, NY. Gift of Bashford Dean, 1914; **18-19** Uffizi Gallery, Florence. Photo Scala, Florence. Courtesy of the Ministero Beni e Att. Culturali e del Turismo; **20** Royal Academy of Arts, Londres. Photographe John Hammond; **22g**, **22d** The Metropolitan Museum of Art, New York, NY. Purchase, The Michael C. Rockefeller Memorial Collection, Bequest of Nelson A. Rockefeller and Gifts of Nelson A. Rockefeller, Nathan Cummings, S. L. M. Barlow, Meredith Howland, et Captain Henry Erben, via échange et fonds de divers donateurs, 1980; **23** Photo John Cliett, courtesy Dia Art Foundation, New York, NY. © The Estate of Walter de Maria; **25** National Gallery of Art, Washington, DC, Samuel H. Kress Collection; 26 Tate, Londres. Ernst © ADAGP, Paris et DACS, Londres 2020; **28**, **29** Philadelphia Museum of Art, acheté avec des fonds du musée, 1951 ; **29-27**; **31** Photo Andrew Dunkley & Marcus Leith. Courtesy of the artist; neugerriemschneider, Berlin; Tanya Bonakdar Gallery, New York, NY/Los Angeles, CA. © 2003 Olafur Eliasson; **33** Freer Art Gallery, Smithsonian Museum, Washington, DC; **34** Collection particulière, San Francisco. Photo atelier Anselm Kiefer. © Anselm Kiefer; **38**, **39** The National Gallery, Londres/Scala, Florence; **40** Museum of Modern Art, New York, NY/Scala, Florence; **41** Tokyo National Museum; **42gd**, Kunsthistorisches Museum, Vienna; **43** National Gallery of Art, Washington, DC, Alisa Mellon Bruce Fund; **45** The Metropolitan Museum of Art, New York, NY. The Cloisters Collection, 1956; **47** Egyptian Museum, Cairo; **49** The Metropolitan Museum of Art, New York, NY. Purchase, Fletcher Fund and Joseph E. Hotung and Danielle Rosenberg Gifts, 1989; **51** Tate, Londres; **52** Frick Collection, New York, NY/Bridgeman Images; **54-55** Image courtesy Stephen Friedman Gallery. Photo Stephen White. © Yinka Shonibare CBE. Tous droits réservés, DACS/ Artimage 2020; **56** Tate, Londres; **59** Collection particulière /Bridgeman Images; **61** Tate, Londres. Tanning © ADAGP, Paris et DACS, Londres 2020; **64** Museo Nacional del Prado, Madrid. Photo MNP/Scala, Florence; **65** Collection particulière/Bridgeman Images. © Succession Picasso/DACS, Londres 2020; **67** Courtesy of Rhona Hoffman Gallery. © 2020 Kehinde Wiley; **68** National Gallery, Londres; **70** Calouste Gulbenkian Museum/ Scala, Florence; **71** The Metropolitan Museum of Art, New York, NY. The Michael C. Rockefeller Memorial Collection, Bequest of Nelson A. Rockefeller, 1979; **72** The Metropolitan Museum of Art, New York, NY. Purchase, Mary and James G. Wallach Foundation Gift, 2015; **73** Louvre, Paris. Photo Josse/Bridgeman Images; **75** Terence Waeland/ Alamy; **76** Los Angeles County Museum of Art. From the Nasli and Alice Heeramaneck Collection, Museum Associates Purchase; **77** The Metropolitan Museum of Art, New York, NY. Purchase, Rogers Fund and Henry Walters Gift, 1916; 78 The Metropolitan Museum of Art, Purchase, Friends of Asian Art Gifts, 2015; **83** Tate, Londres; **84** The Metropolitan Museum of Art, Harris Brisbane Dick Fund, 1956; **86** Hosomi Minoru, Osaka; **87** The Metropolitan Museum of Art, New York, NY. Edward Elliott Family Collection, Purchase, The Dillon Fund Gift, 1982; **89** National Gallery, Londres/Scala, Florence; **91** Adam Eastland/Alamy; **93** The Metropolitan Museum of Art, New York, NY. Purchase, Joseph Pulitzer Bequest, 1933; **94** Sarnath Museum, Uttar Pradesh, India/Bridgeman Images; **96-97** akg-images/Erich Lessing; **99** Castle of Good Hope, Cape Town. © Jane Alexander/DALRO/DACS 2020; **100** The Trustees of the British Museum, Londres; **101** Wellcome Collection, Londres; **103** Kunsthistorisches Museum, Vienna; **105** The Metropolitan Museum of Art, New York, NY. Purchase, The Dillon Fund Gift, 1977; **107** The Metropolitan Museum of Art, New York, NY. Gift of Arthur A. Houghton Jr, 1970; **109** Brooklyn Museum of Art, New York, NY/Bridgeman Images; **112** Victoria and Albert Museum, Londres; **113g**, **113d** Collection of Daniel Filipacchi, Paris. © Banco de México Diego Rivera Frida Kahlo Museums Trust, Mexique, D.F. /DACS 2020; **114** National Gallery, Londres; **115** The Metropolitan Museum of Art, New York, NY. Purchase, Anonymous Gift and Rogers Fund, 1989; 116 Yale University Art Gallery. Gift of the Rubin-Ladd Foundation under the bequest of Ester R. Portnow; **117** Church of Sant'Agostino, Rome. Photo Scala, Florence; **118** The Metropolitan Museum of Art, New York, NY. Purchase, The Annenberg Foundation Gift, 1992; **120-121** Courtesy the artist, Paragon I Contemporary Editions Ltd and Victoria Miro, Londres/Venice. © Grayson Perry; **122g** Cleveland Museum of Art. Gift of Morris and Eleanor Everett in memory of Flora Morris Everett 1972.43; **122d** Rijksmuseum, Amsterdam. On loan from the Asian Art Society in The Netherlands (purchase J. G. Figgess, Tokyo, 1960); **123** National Gallery of Art, Washington, DC, Samuel H. Kress Collection; **125** Image courtesy and copyright of Marc Quinn studio; **127** The Trustees of the British Museum, Londres; **128** Photo Musée du Louvre, Dist. RMN-Grand Palais/Angèle Dequier; **129** The Trustees of the British Museum, Londres; **131** Photo © Luisa Ricciarini/Bridgeman Images; **133** The Metropolitan Museum of Art, New York, NY. Purchase, Rogers Fund and The Kevorkian Foundation Gift, 1955; **134** The Metropolitan Museum of Art, New York, NY. Rogers Fund, 1938; **138** Azoor Travel Photo/Alamy; **139** Los Angeles County Museum of Art, Gift of Mr. and Mrs. Harry Lenart; **140** British Museum, Londres; **141** National Gallery, Londres; **143** Kimbell Art Museum, Fort Worth, Texas/Bridgeman Images; **144** The Metropolitan Museum of Art, New York, NY. The Friedsam Collection, Bequest of Michael Friedsam, 1931; **146**, **147** Royal Collection Trust, Londres; **149** The Metropolitan Museum of Art, New York, NY. Gift of Russell Sage, 1910; **150** National Gallery of Art, Washington, DC, Widener Collection 1942.9.97; **153** National Gallery, Londres; **154-155** Museum of Modern Art, New York, NY. © Kara Walker, courtesy Sikkema Jenkins & Co., New York, NY; **157** National Gallery of Art, Washington. Patrons' Permanent Fund, The Avalon Fund. © Heirs of Aaron Douglas/VAGA at ARS, NY et DACS, Londres, 2020; **159** National Gallery of Art, Washington, DC, Gift of R. Horace Gallatin, 1949.1.17; **160** Collection particulière. Höch © DACS 2020; **163** National Gallery, Londres; **164** Trustees of the British Museum, Londres.

\-

À Orla et George

\-

Première édition
publiée en anglais
au Royaume-Uni en 2020 par
Thames & Hudson Ltd,
181A High Holborn, London
WC1V 7QX

Symbols in Art © 2020
Thames & Hudson Ltd,
London
Textes © Matthew Wilson
Dirigé par : Caroline
Brooke Johnson
Conception
graphique : April
Recherches iconographiques :
Nikos Kotsopoulos

Version française
© Flammarion, Paris, 2020, 2022
Première édition publiée en
français, en France, en 2020
par Flammarion, Paris

FLAMMARION
Directrice éditoriale
Julie Rouart

**Responsable de l'administration
éditoriale**
Delphine Montagne

Éditrice
Mélanie Puchault,
assistée de Pascaline
Boucharinc

Traduction
Camille Fort

Relecture
Colette Malandain

Mise en pages
Adèle Pasquet

ISBN : 9782080291400
N° d'édition : 645592
L.01EBUN000955.A002
Dépôt légal : janvier 2023
Achevé d'imprimer en Chine en 2024.